ガイフウカン
ニチジョウ
ウチダタツル

凱風館日乗

内田樹

河出書房新社

まえがき

みなさん、こんにちは。内田樹です。

今回は『凱風館日乗』というタイトルの本を作りました。これは主に新聞と週刊誌に寄稿した短文をセレクトしたものです。新聞は信濃毎日新聞で、こちらは毎週1回。週刊誌は『週刊金曜日』で、これは隔週の寄稿でした。2022年の春頃からこれまでの2年間に書かれたものがここには集められています。そのつどの時事的なトピックについて書いているので、まとまった「ナントカ論」というよりは「日乗」の方がふさわしいだろうと思って、このタイトルを撰しました。それにこの後も、連載ものを再録するときは「凱風館日乗」というタイトルを使いまわすことができます。『凱風館日乗―風雲篇』とか『凱風館日乗―波濤篇』とか。

「日乗」というと、誰でも永井荷風の『断腸亭日乗』を思い出すはずです。もし、いま「それ、何？」と思った方がおられたら、ぜひ岩波文庫の『摘録　断腸亭日乗』をお手に取ってください（今いる書店の岩波文庫のコーナーに行けばたぶんみつかります）。僕の本より、まずそちらを先にお読みになることをお薦めします。ただ、荷風先生の日記は42年分あります。岩波文庫は「摘録」ですがそれでも上下二巻あります。僕の方はわずか2年分で1冊。僕の方がだいぶ読みやすいです。

最初にご説明しておきますが、「凱風館」というのは、神戸市で僕が主宰している武道修行と哲学研究のための学塾の名前です。一階が七十畳の道場で、二階が自宅という建物です。建築家の光嶋裕介君に設計を依頼して、2011年の秋に竣工しましたので、今年で13年目になります。外から見ると何の建物かわかりにくいらしく、通りすがりの人に「ここ、豆腐屋ですか?」と訊ねられたことが一度、「焼き鳥屋ですか?」と訊ねられたことが一度あります（実話）。

建物や土地の名前を自分の通称に代用するのは昔はよくある風儀でした。僕の伯父たち（みなさん明治生まれ）は、こちらが電話に出ると「もしもし、鶴見です」（これは長兄）とか「もしもし吉祥寺です」（これは次兄）とか、お住まいの住所をまず名乗ったものです。みんな「内田」ですから、「もしもし内田さんですか、内田です」では話が通じませんから、しかたがないんですけど。

それが自称に代用されることもあるので、昔の文人は自分の家に名前をつけるときには、いささかの工夫を凝らしたものです。漱石山房とか観潮楼（森鷗外）とか禁客寺（内田百閒）

とか。荷風が自宅を断腸亭と号したのは消化器に痼疾があったからですが、日乗を読むと、ときどき腸がちぎれるほど怒ってますから、その気質をみずから揶揄するものでもあったのでしょう。

凱風館の「凱風」は「初夏に南から吹く暖かい風」の意味です。出典は『詩経』。「凱風南よりし彼の棘心を吹く」という古謡の一節から拝借しました。「初夏に南から吹く暖かい風に吹かれると、あの頑なな棘の芽も開いて花を咲かせる」という意味です。もともとはラブソングのリフレインだったようですけれど、僕はこのフレーズは教育というものの本質を衝いた言葉だと思って、学塾の号に採りました。長く教壇に立ち、また道場で稽古指導をしてきて、教育というのは、つくづく「そういうもの」だという深い確信を持つようになったからです。教育の場は「温室」であるべきだと僕は考えています。子どもたちが無邪気に無心に自分を開いて、どんどん成長してゆくためには、どれほど無防備になっても、決して誰からも傷つけられないという保証が必要だ、と僕は信じています。

それを僕は合気道の多田宏先生と、哲学のエマニュエル・レヴィナス先生という二人の「師」から教えて頂きました。僕のような鈍根で、性格の悪い男がなんとか古希を過ぎるまで永らえて、何百人かの門人や教え子を育てることができたのは、このお二人の「師」が僕を一度も叱りつけたり、迷わせたり、傷つけたりしないで、いつもただにこやかに見守ってくださっていたからです（レヴィナス先生とはお目にかかったのは一度だけですが、お手紙では感動的な励ましのお言葉を頂きました）。このお二人から受けた「凱風」のご恩を絶やすことなく吹き続けさせるために、凱風館という名前を選びました。

ここに収録されたのは、その凱風館二階の書斎で稽古やゼミの合間にこりこりと書き綴った「身辺雑記」です。古希の老人の身辺雑記にしてはいささか時事的なトピックに偏っておりますけれども、まあ、しかたがないですよね。そういう波乱の時代に老境を迎えてしまったわけですから、年寄りとはいえ、のんびり竹林で清談したり、琴棋詩酒を愉しんだりというわけにはゆきません。若い世代のためにも「弾よけ」くらいの仕事はしないといけないと思います。ですから、ときどき「地雷原」に踏み込んだ発言をしております。言い過ぎのところがありましたら、「年寄りの繰り言」だと思って聞き流してやってください。

それから、それぞれのエッセイには初出の日時だけが書いてありますが、これは媒体に発表された日付ではなく、原稿を最初に書いた日付です。それから今回再録に際してかなりの加筆をしておりますので、書誌情報を厳密に期すべく発表媒体を探しても、該当する原稿が見当たらない場合もありますので、その点について言えば「半分くらいは書き下ろし」だと思ってお読みください。原文が掲載された媒体は、信濃毎日新聞、ＡＥＲＡ、中日新聞、山形新聞、日本農業新聞、學鐙などです。

それからエッセイの配列は発表順ではなく、編集の西垣成雄さんがテーマ別に選んだものです。この場を借りて、編集のご尽力に感謝申し上げます。

ではまた「あとがき」でお会いしましょう。

２０２４年２月

凱風館にて

内田樹

凱風館日乗◎目次

第三章 日本救国論……117

カバー装画　杉山陽平
装幀　大倉真一郎

凱風館日乗

第一章

日本が抱える困難について

葛藤のない国、日本

２０２２年から２０２３年で記憶に残る大事件は、ロシアのウクライナ侵攻、安倍元首相の殺害、自民党と統一教会の癒着、東京五輪汚職、習近平独裁体制の成立、米中間選挙で顕在化した米国民の分断などである。

よい話は一つもない。

米国、中国、ロシア、日本、すべての国が程度の差はあれ「衰運」の途上にあることだけはわかる。この米中ロの衰退はそれぞれの国の「国柄」の過激化の帰結のように見えるというのが私の診立てである。

ロシアはつねに被害者の劣等感と大国の優越感の葛藤のうちにある。中国は中華皇帝による独裁と群雄割拠の内戦状態のどちらかしか知らない。米国は建国以来市民的自由と公権力による社会的統制いずれを優先させるかをめぐって分裂し続けてきた。

三国とも固有の葛藤を抱えてきた国である。そして、その葛藤をまっすぐに受け止め、折り合いのつかないものをなんとか折り合わせて複雑な統治システムを創り出した時期には国力が向上し、どちらかに針が振り切れて「単純で過激な統治システム」が暴走し始めた時期に衰運局面に入った。そのパターンを近代の米中ロ三国の歴史は繰り返してきた。
統治システムは単純であるほど国を統治しやすいと多くの人はたぶん信じているのだろう。だが、それは誤りである。話は逆である。統治システムが複雑で、扱う変数が増えるほど、人々は思慮深くなり、複雑な現実を複雑なまま取り扱える知的容量を身につけるようになる。

だが、変数が増え過ぎると、その知的負荷に耐えきれなくなって、「話を簡単にしろ」と言い立てる人が出てくる。このポピュリストたちは国民の知的負荷を軽減してくれるので、あっという間に国民の過半を占めるようになる。でも、この単純で過激なシステムは複雑な現実に適切に対処できない。いくら頭の中を単純化しても、目の前の現実は複雑なままである。その乖離が広がると、国は「なすべきこと」を怠り、「しなくてもいいこと」ばかりするようになって、目に見えて国力は衰える。

米国、中国、ロシアについては、この仮説は妥当すると思う。どの国も「敵味方」を単純に切り分けて、「この敵さえ倒せば、すべての問題は解決する」という単純な「最終的解決」論に居着いた時に知的頽廃と国力の衰退が始まった。マッカーシズム、文化大革命、スターリンの大粛清、パターンは共通している。

翻って日本はどうだろうか。日本には米中ロに見られるような国の本質に関わるような内的葛藤はない。いや、実際にはある。でも、それを内的葛藤として引き受けて、苦しむということはしなかった。

「天皇制と立憲デモクラシー」、「憲法9条と自衛隊」の間には不整合がある。けれども、戦後の日本人はその葛藤をまっすぐ受け止めて、愚直に苦しみ、その果てにその「氷炭相容れざる」二つのものを並立させるような一回りスケールの大きな統治のアイディアを創り出すという方向には努力を向けなかった。逆に、どちらか一方を廃絶すれば「無矛盾（むじゅん）的」な統治システムができるという単純な解に居着いて、エンドレスの「神学論争」を続けた。そうしているうち、やがてそれにも飽きて（飽きて当然である）、考えることそのものを止めてしまった。思考停止して、「既成事実を追認する」「長いものに巻かれる」ことを「リアリズム」と言い募る人々が指導層を形成するという、世界に類を見ない「葛藤のない国」になった。

葛藤からは驚嘆すべき創造的な解が生まれる（ことがある）が、現実を追認するだけの薄っぺらな「リアリズム」からは新しいものは何も生まれない。これは断言できる。そのことは前の戦争の敗北から骨身にしみて学んだはずではなかったのか。今の日本を見ていると、指導者たちはその歴史的教訓さえ忘れてしまったようだ。思考停止がもたらした記憶喪失である。

自分たちが過去に何を経験したのか、とりわけどのような失敗を犯したのかを忘れた国民に未来を創造することはできない。

（2023年12月23日）

過疎地から世界標準を送り出す

人口減日本が採り得る選択肢は資源の「都市集中」か「地方分散」かのどちらかしかない。

政府と財界はいちはやく「都市一極集中」シナリオを選択して、国民的議論抜きに着々と地方の過疎化・無住地化を進めている。

その方が「金になる」からである。

そして、このシナリオの宣伝役として「過疎地に住む住民には行政サービスを要求する権利がない。不便がいやなら過疎地を捨てろ」と言い出す人間がわらわらと出てきている。

この「無住地化シナリオ」に対抗するためには、過疎地にとどまりながらも、世界的レベルの作物を世に送り出す人たちがいるという事実を突きつけることが有効であると私は考えている。

「食」には間違いなくその可能性がある。

去年、ある集まりで、パン作りの青年たちに囲まれて会食する機会があった。その時に、彼らの一人が「いま日本のパンは世界一ですから」という言葉をさらりと口にするのを聴いた。「いま、フランスのパン職人がやっているのは、僕たちが10年前にやったことです」とにこやかに断言した。

「こういう言葉」を聴いたのは30年ぶりくらいではないかと思った。たしかにその頃には、いろいろな分野の人がさらりと「うちのプロダクツは世界一ですから」と言うのを聴いた。

そういう言葉を絶えて聴かなかった。でも、私たちが知らないところで「世界標準」は新たに創り出されていたのである。政治家もビジネスマンもそれに気づかず、メディアもそれを報じないのは、彼らがもう社会の変化を感知する力を失っているからである。


（2023年1月6日）

人口減社会の行く末

２０７０年の日本の総人口は８７００万人、２１２０年は５０００万人を切るという推計を政府機関が発表した。今から１００年で日本の人口は今の４割まで減る。ただし、これは合計特殊出生率を1・36に設定しての予測である。果たしてこのような希望的観測に基づいて人口動態について語ってよいのか（２０２３年、東京の出生率は1・08である）。韓国の直近の数字は０・７。中国も２０２１年で1・15（北京や上海では0・7を切っている）。隣国の数字を見ると、日本の人口減は政府の予測よりさらに早く進行すると考えた方がよい。

何度も書いたことだけれど、大切なことなので繰り返す。

人口減局面に向かう日本社会には選択肢は二つしかない。人口と資源の「都市一極集中」か「地方分散」である。そして、まことに悩ましいことではあるが、資本主義の延命を第一に考えれば「都市一極集中／地方の無住地化」が正解なのである。

中世以来、英国の村落共同体には「共有地（コモン）」というものがあった。そこで人々は牧畜をし、果樹を採取し、魚を釣り、鳥獣を狩ることができた。コモンが豊かであれば、貧富の差は（あまり）生まれない。貧しい者もコモンの恩沢に与ることで私財の不足を補うことができたからである。

けれども、コモンは生産性の低い土地であった（金を儲けるためのものではないから当然である）。資本主義の発達にとってコモンは邪魔であった。だから、さまざまな名目でコモンは解体され、私有地となり、生産性の高い産業が営まれるようになった。この私有地には農民たちの立ち入りが禁じられたので、これを「囲い込み（enclosure）」と呼ぶ。

豊かな共有地へのアクセス権を失った農民たちは没落して、労働力以外に売るものを持たない都市プロレタリアになった。この「いくらでも替えのいる労働者」を劣悪な雇用条件で就労させることで、英国の資本主義は発達した。

というところまではどなたも高校の世界史で学んだはずである。コモンを解体し、農村を居住不能にし、都市に人間を集中させることで資本主義はその浮揚力を得たのである。

現代日本の資本主義者たちも延命のために今同じことを考えていると思う。ただし、決定的な違いがある。19世紀英国は１００年間に人口が3・4倍になるという人口急増局面にあったが、日本はそうではないということである。

人口減局面で囲い込みを試みた事例は過去に存在しない。だから、何が起きるかわからない。過密化した都市がどうなるかは想像がつくが、国土の過半が過疎化・無住地化した時にそこで何が起きるかは誰も知らない。

地方分散には先行の成功事例がある。明治40年の日本は人口5000万人だったが、日本中津々浦々で人々は生業を営み、それなりに健康で文化的な生活をしていた。江戸時代は人口3000万人だったが、それが266の藩に分かれていた。藩は基本自給自足で、それぞれに地場の産業があり、固有の文化があった。資本主義の発達には向いていないが、リスクヘッジにすぐれた仕組みであったことは歴史が教えている。

だが、今の日本の政治家も官僚もビジネスマンも、資源と人口の「地方分散シナリオ」を採用する気はない。都市部に人口を集中させ、地方は無住地にするシナリオの方が資本主義的には「うまみ」があることがわかっているからである。

このまま地方の過疎化が進めば、いずれ国土の多くが無住地になる。

人が住まない土地には「生産性の高い事業」が可能である。太陽光パネルを敷き詰め、風力発電の風車を林立させ、原発や産業廃棄物処理場を作ればいい。それが一番儲かる。誰も住んでいない土地である、もう「地域住民の反対」や「生態系の保全」を考えなくてよいのである。それによって日本の資本主義は少しだけ延命するだろう。だが、日本人は「山河」を失う。「国破れて山河あり」というけれど、山河を失ったその後に「国が破れ」たら、日本人にはもうどこにも戻るところがない。

（2023年5月2日）

痩せ細る日本の文化的発信力

落語に『寝床』という秀逸な「旦那芸」咄がある。義太夫語りに夢中になって、長屋の店子や店の者たちに辟易される旦那の話である。下手な義太夫を聴かされる人たちもたしかに気の毒ではあるけれど、酒肴を用意してまで義太夫を聴いてもらおうとする旦那の「懇請」の姿勢に私は深い共感を覚える。こういう素人の「裾野」があってこそ芸能の峰はその高度を獲得することができるからである。

一人の「玄人」がその芸を究めるためには、数百人の「素人」の支えが要る。別に激烈な生き残り競争に投じれば良質な個体のみが生き残るというような非情な話をしているわけではない。そうではなくて、自分はついにその専門家になることはできなかったが、その技芸の習得がどれほど困難であり、どれほどの価値があるものかを身を以て知っている人が集団的に存在していることが「ほんもの」を見出し、育て、その専門知を深め、次世代に継承するためには不可欠であるということを申し上げているのである。

私自身は合気道を半世紀近く、能楽を四半世紀稽古してきた。合気道はかろうじてそれで生計を立てられるところまで来たが、能楽は『寝床』レベルである。しかし、名人達人の技芸を見て、足を震わせ、嘆息をつくくらいのことはできる。それがどれほどの才能と努力の果実であるかを推し量ることはできる。道行く人の袖をつかんで「ちょっと足を止めて、これを観なさいよ。これはめったに見られるものじゃないですよ」と懇請するくらいのことはできる。

私が「旦那」と呼ぶのはこういう人たちのことである。

現代日本では、「旦那」も「目利き」ももはや絶滅危惧種となった。それは「ほんもの」が登場してきた時に、それにいち早く気づき、彼らを支援する人々がいなくなることを意味している。日本の文化的発信力は今そうやって痩せ細っている。

（２０２２年２月９日）

公人とは何か

ある媒体からのインタビューで岸田首相の遭難事件の原因を問われたので「無力感」からだろうと答えた。

民主主義が健全に機能していれば、有権者はそれほど毒性の強い無力感に蝕まれることはない。自分の意見が、それが少数意見であっても、部分的にではあれ誰かによって代弁され、部分的にではあれ物質化するプロセスが存在していれば、人は無力感に囚われることはない。

でも、今の日本では、いったん少数派に回ると、自分の意見が政府の政策に反映するチャンスはきわめて低い。選挙結果が51対49であっても、相対的多数を得た側は「民意を得た」と胸を張って、まるで全権を委任されたようにふるまう。

これはおかしい。

そもそも選挙結果について「勝敗」という語を使うこと自体に私はつよい違和感を覚える。

代議制民主主義においては、統治に当たるのは「公人」である。公人というのは自分の支持者の利害を代表する者ではない。自分に投票しなかった者も含めて全国民を代表するのが仕事である。

たしかに反対者や政敵の意見を代表するのは愉快な仕事ではないだろう。それより自分のアジェンダに賛成する人間だけを重用し、反対する人間は厄介払いして、「一枚岩」の政治をしたいだろう。その気持ちはわかる。けれども、統治者は公人である以上、「痩せ我慢」をしてでも、国民全体を代表しなければならない。それができない政治家はどれほど多数派を率いていても「権力を持った私人」に過ぎない。

「誰も自分の立場を代表してくれない」という孤立感と無力感が人を暴力に向かわせる。少数派の意見を代弁し、少数派の願いが部分的にではあれ実現する回路が確保されていれば、人はそれほど簡単には暴力には訴えない。今の日本はその回路が痩せ細っている。

（２０２３年４月28日）

「誰もしていないこと」を「創造的」と言う

大学受験生に志望先をアンケートしたところ、コロナ禍による経済状況の悪化を反映してか、資格取得や就職に有利な理系学部に人気が集まっている。特に女子において「理高文低」傾向が顕著だという。医学部、薬学部などに人が集まり、外国語、国際関係など、これまで女子の人気学部だった専門が志望者を大きく減らした。

今の日本は遠慮なく言えば「沈みかけた泥船」である。あらゆる手立てを通じて浮力を維持し、生き延びなければならない。「あらゆる手立て」というところが肝心である。できるだけ多様な領域に専門家がばらけていることが危機を生き延びるためには必須である。それくらいのことは誰でもわかるはずである。

『七人の侍』から『ミッション・インポッシブル』まで、困難なミッションを達成するためには、専門分野の違う多様なメンバーが協働することが必要であることを教えている。全員が同じ種類の能力を持ち、メンバーの間の違いはその程度差だけというような集団は、さまざまな領域に特異な能力を持つメンバーから成る集団より生き延びる力が弱い。そんなのは、わかりきったことである。

にもかかわらず、今の日本社会では、若者たちに「それぞれが多様なニッチにばらけなさい」ということを誰もアナウンスしない。「何の役に立つのかわかっている能力」の習得だけを若い人たちは求められている。自分のための特別な「ニッチ」がどこかにあるのではないかという問いが兆しても、親も教師も誰もとりあってくれない。

自分が学びたいことを学べない子どもたちが気の毒だ。「誰もしていないことがしたい」という心的傾向のことを「創造的」と呼ぶ。若い人たちが「創造的」であろうとすることを社会全体が阻止するような国には未来がない。

（2023年1月13日）

伝統の擁護と顕彰のための眼力

刀を手に入れた。居合の稽古用に真剣は一振り持っている。江戸時代の備前の刀である。美しく、穏やかな表情の刀で、楽しく稽古してきたが、急にある刀が欲しくなった。

能楽師の安田登さんたちが主催する「天籟能の会」という催しがあり、私も時々ゲストで舞台に上がっている。4年前にそこで『小鍛冶』という能が出た。刀匠三条小鍛冶宗近が刀を打つことを一条天皇に命じられるが、力のある相鎚がいない。困じ果てて稲荷明神に参詣すると、果たして御利益があって一夜狐の精霊が現れて相鎚を務め、無事に名剣「小狐丸」が打ち上がったという話である。

刀鍛冶の話なので刀匠の川崎晶平さんをゲストにお呼びし、楽屋で川崎さんにご持参の刀を見せてもらった。鞘からすらりと抜いた刀身を見た途端に「垂涎（すいぜん）」という状態になった。

私は元来物欲の（あまり）ない人間なのだけれど、この時ばかりは物欲の虜となった。「これ、ください」とほとんど川崎さんの袖にすがりついたが、売約済みの作品だったので、「他の作品を見てください」と言われて、その場は引き下がった。しばらくして、ご招待状を受け取り、展示会で川崎さんの打った新刀を見てその場で購入を決めた。それから拵えに一年半かかって、先日ようやく手元に届いた。

　正直言って、私程度の武道家には身分不相応の名刀である。けれども、伝統工芸や伝統芸能には「旦那」というものが必要なのである。腕前はまず素人に毛が生えた程度だが、斯道（しどう）の玄人の仕事を見ると足が震える程度の鑑賞眼は具わっている。そういうレベルの人たちの厚い層が伝統の擁護と顕彰のためにはなくては済まされないのである。

　能楽を習い始めた時「旦那芸」として稽古することに肚を決めた。玄人と見所の客の間にいて、至芸に嘆息をついてみせるのが旦那の主務である。伝統が継承されるためには旦那はなくてはならないものである。今多くの伝統文化が存亡の危機に瀕しているのは、決然として旦那たらんとする人が地を掃（はら）ってしまったからである。

（2022年1月21日）

「成熟」することに逡巡する子どもたち

タイのバンコクで暮らす日本人中高生向けに定期的にオンラインで授業をしている。多国籍の級友たちと机を並べている生徒たちだから日本にいる中高生よりは国際感覚が豊かである。

今回の論題は「日本に移民を受け入れることについて」だった。

生徒たちの意見が分かれた。「労働力を補うための移民受け入れもやむを得ないが、一定数以下に抑制すべきだ」という生徒と「移民を受け入れることを通じて多様な住民が共生できる社会を作るべきだ」という生徒に分かれたのである。

移民抑制を求める生徒が挙げた理由は「日本人の雇用が奪われる」「外国人差別の問題が起きる」「日本人と外国人の衝突が起きて治安が悪くなる」など。生徒たちは海外にいながら日本社会の実情を鋭く観察している。

彼ら「リアリスト」は、日本人は総じて人種・言語・宗教・生活習慣などを異にする外国人と共生し、協働し、社会をより暮らしやすいものにするだけの市民的成熟に達していないと判断しているわけである。これは現状認識としては適切である。

けれども、「日本人は多様な住民を包摂できるだけの市民的成熟に達していない」という現実認識から「それゆえその未成熟にふさわしい社会制度のうちにとどまるべきだ」という結論は論理的には導けない。同じ前提から「日本人はおのれの未熟を恥じ、成熟をめざさなければならない」という遂行的な結論を導き出すことも可能だからである。事実そう書いた生徒たちもいたのである。

でも、「成熟をめざすべき」という生徒たちの方がいくぶん控えめで、とまどい気味だった。気持ちはわかる。今目の前にある現実に適応すべきなのか、今とは違うもっと「ましな」未来を創造すべきなのか、どちらを行くべきか、子どもたちは逡巡しているのである。

（2022年2月18日）

加速主義と倍速で映画を観ること

維新政治はもう15年以上続いている。その間、大阪は経済が低迷し、人口が流出し、少子化が進み、コロナ対策で失敗し、都構想は二度否定され、万博・ＩＲ（統合型リゾート）は先行き不透明である。でも、大阪の有権者はあまり気にしていないようである。

維新政治を批判する人たちは「有権者は事実を知らないのだ。だから事実を知れば状況は一変する」と主張するが、私は違うような気がする。大阪の有権者たちは実は大阪で何が起きているのか全部わかっている。そして、このまま大阪が「終末」に向かって暴走する様子を砂被りで見ようとして固唾（かたず）を呑んでいるというのがことの実相ではないのか。

「加速主義」という思想があると最近若い人に教えてもらった。

資本主義はすでに末期を迎えている。人類は「ポスト資本主義」に備えなければならないのだが、「民主主義」や「基本的人権」や「政治的正しさ」のような時代遅れの近代イデオロギーが余計な補正をするせいで、体制が少しだけ「暮らしやすくなり」、そのせいで資本主義の終焉が遅れている。そのブレーキを解除して、資本主義を限界まで暴走させ、その死を早め、資本主義の「外」へ抜け出そうというのが加速主義である。

どうするかというと、市民の政治的・経済的自由は最大限まで尊重する。その代わり、公権力が市民生活に介入することは最小化する。だから、社会福祉制度はすべて廃止する。健康保険制度もなくす。公教育もなくす。教育は自己利益を増大させるものなのだから教育を受けたい人間は対価を出す。金がないやつは無学のまま生涯を終える。医療も同じ。

医療行為は高額の商品なのであるから、金のないやつは医療を受ける権利がない。要するに、社会的弱者は公助を当てにせず、自己責任でその境涯を甘受しろ、というのが加速主義の主張である。

言っていることはサッチャー主義とあまり変わりはないが、その目的が「資本主義の終焉を早める」という点が違う。

世界がどういうふうに滅びるのか早く結果を知りたい。倍速で映画を観る人たちがそう望む気持ちが私にはわかる気がする。

映画と違うのは、世界が滅びる時に、「早く世界が滅びるのを見たい」と願った人たちのほとんどが世界と運命を共にするだろうということである。

（2023年3月31日）

気持ち良く仕事するならそのままにしよう

私の本は教員の読者が多い。講演依頼も教育関係が多い。世の教育論の多くが「教員は努力が足りない」と叱責するものであるのに対して、私の教育論は「教員の仕事をもっと減らし、教育方法を教員の自由に委ね、査定や評価をしないで好きにさせる」というものだからである。

これは別に机上の空論ではない。実務家としての経験から申し上げているのである。「組織のパフォーマンスはどうすれば最大化できるか」は二十代に起業してから七十代で道場を経営するに至るまで私の変わらぬ問題意識である。その経験から得た結論が「オーバーアチーバーに自由にさせる」ということである。

見慣れない英語で申し訳ないが、オーバーアチーバー（over-achiever）とは「放っておいても給料以上の働きをする人」のことである。これに相当する日本語はない。

しかるに現在の日本の組織はどこでもアンダーアチーバー（給料分の働きのない人）を見つけ出し、罰を与えることに熱中しているように見える。

アンダーアチーバーやフリーライダーを探し出し、彼らの「既得権益」を剥ぎ取り、屈辱感を与えることを「組織マネジメント」だと信じている人がたくさんいる。たくさんどころかすでに日本人の管理職の過半がそうかも知れない。

しかし、「働かずにいい思いをしているやつら」を叩き出せば組織のパフォーマンスが向上するということは起こらない。これは絶対に起こらない。生産性の低いメンバーをいくらいじめても、価値あるものは何も生まれない。

軍隊には督戦隊というものがある。自軍の兵士が前線の戦況が悪くなって逃げ出してきた時に銃を突きつけて「前線に戻って戦え。前線に戻らなければ、ここで撃ち殺すぞ」と脅す仕事である。督戦隊は軍律を守らせるためにはたしかに有効な装置である。けれども、もし兵員の半分が督戦隊で、実際に戦っている兵は半分だけだという軍隊があったとしたら、「組織マネジメントはたいへんしっかりしているが、戦闘にはたいへん弱い軍隊」だということになるだろう。

アンダーアチーバーやフリーライダーを見つけ出して、叩き出すことに資源を惜しみなく使う組織は「督戦隊ばかりの軍隊」に似ている。管理はできているが価値あるものは何も生み出さない。

そんなことをするよりは、フリーライダーのことなんか放っておいて、豊かな価値を生み出すオーバーアチーバーたちに気分よく仕事をしてもらう方がはるかに費用対効果は高いと思う。

そして、**オーバーアチーバーたちが求めているのは何より管理されないこと、査定されないこと**なのである。だから、管理コストがぜんぜんかからない。その方が、組織が生み出す価値ははるかに大きい。「好きにさせておけば価値を創出する人たちを好きにさせておくこと」、それが組織マネジメントの要諦であることに日本人はいつ気づくだろうか。

（２０２３年３月31日）

権力者としての教師のアカハラは許されない

早稲田大学の指導教授からハラスメントを受けた元大学院生が男性と大学当局を訴えていた裁判で、東京地裁は元教授と大学に賠償を命じる判決を言い渡した。判決は性的言動で不快感を与えたことは認めたが、教員と院生の間の権力関係を利用したアカデミック・ハラスメントについてはこれを認定しなかった。「セクハラ」は認めるが、「アカハラ」は認めない。ここに私は司法判断の強いこだわりを感じた。

セクハラは男女の間のことである。「君の側にも隙があったのだ」という責任転嫁もできるし、「恋愛感情だった」と言い張って、「恋する男は誰でも節度を失うものだ」という経験則に逃れることもできる。しかし「アカハラ」にはそういう言い訳が利かない。教師は権力者である。負託された力にふさわしい自制と節度が求められる。今の日本ではそれがもう常識ではなくなっている。それがアカハラを培養している。「学び」に向かう時、弟子は師に対して無防備にならなければならない。もし弟子が自分の手持ちの価値観や判断基準にいつまでもしがみついていたら、学びは起動しない。教育の場でのハラスメントがしばしば深い傷を弟子に残すのは、学びに踏み入る時、弟子はこの無防備状態を経由しなければならないからである。師の言動を自分の既知の意味のシステムに落とし込んで理解しようとすることを抑制し、師の言動を「自分の理解を絶した深い意味があるもの」として受け容れ、自分の手持ちの解釈システムそのものをいったん解体し、刷新しようとするからである。

これは弟子としてはまことに「正しいふるまい」なのであるが、弟子のこのけなげな決断を利用して、弟子を人格的な支配─被支配の関係に巻き込もうとする人間がいる。そういう人間はたとえどれほど博識でも才能豊かでも、人に教える仕事に就くべきではないと私は思う。

しかし、私のこの考えは今の日本では常識とはされない。能力の高い人間には人を傷つける権利があるという方がむしろ多数派だろう。そうである限りアカデミック・ハラスメントは終わらないし、司法官自身がそう信じている以上、学びの場でのアカハラ認定がされることもないであろう。

（2023年4月19日）

有権者の60％が棄権する社会

　2023年4月9日に統一地方選の前半が終わった際、その結果について、ある媒体でいささかの私見を述べた。

「特に言うべきことを思いつかない」というのが多くの有権者の実感だったのではないだろうか。ほとんど事前の予想通りの結果だったからだ。

　投票率の低下、自民の堅調、維新の進出。統一教会問題もほとんど選挙結果には影響しなかった。多数の有権者は日本の方向転換を求める気はなかった。

　しかし、見逃せない変化があったと私は思う。それは約60％の有権者が棄権したということである。それだけの有権者が自分たちの代表を選ぶ権利を放棄したのである。「自分の立場を代弁してくれる候補者がいなかったから」と嘆く人もいるだろうし、「選挙では何も変わらない」と諦めている人もいるだろう。だが、忘れてはならないのは、棄権するというのは「政策決定が自分の関与しないところで行われても、私は別に構わない」と意思表示したということである。有権者の60%が現政権に「好きにやってくれ」と言ったのである。

その結果何が起きるか。さきほども言った通り日本の針路はさほど変わらない。変わるのは「速度」である。これまで通りの政治が「さらに加速する」のである。国会の議論は空転し、失政にも食言にも政府は責任を取らず、統一教会と自民党の癒着は不問に付され、万博は開催され、原発は稼働し、米軍基地は増設され、年金は減り、税金は増え、国民はさらに貧しく、より無権利になる、という流れが「加速する」。人々が望んでいるのはそのことなのだと思う。

おそらく棄権した人たちはこの政治がどこまで行くのか、その結果を早く見たいのだ。野党が議席を増やすとその勢いにブレーキがかかり、「エンドマーク」の出るのが遅くなる。それでは困る。「物語の結末」が早く知りたい。日本の「末路」を早く見届けたい。

前にも書いたように、この前のめりな感じは、実は左右問わず、あらゆる政治的セクターですでに顕在化している。「世界標準は……なのに、日本だけが取り残されている」とか「バスに乗り遅れるな」というタイプの定型句はその典型である。気候変動についても、パンデミックについても、金融危機についても、原発再稼働についても「待ったなし」だと人々は言う。重要な問題について決断するときに、急ぐことは熟慮することより優先するというのは、いつから自明の真理になったのか。私はそんな話について意見を求められた記憶がない。いつから、誰かが「待ったなしだ」と言った瞬間に、ゆっくりあれこれの意見を徴して…という態度が罵倒されるようになったのか。私はそのことに強い不安を覚える。

加速主義的傾向が支配的な社会では「スピード感」がすべてを押し流し、浮き足立った気分を煽る人たちが世間の耳目を集める。そうして焦燥に駆られて採用された政策がいかなる結果をもたらしたかの事後的検証には人々はもう興味を示さない。

たしかに「未来を早く知りたい」という焦燥感は私にも理解できる。だが、過去を振り返り、失敗から学習する習慣を失った人たちが明るい未来を切り開く可能性はない。

（2023年3月16日）

公人の本義

『オフィサー・アンド・スパイ』というタイトルのフランス映画がもうすぐ公開される（2022年6月に日本で公開された）。「将校とスパイ」では何のことかわからないが、原題は『私は告発する（J'accuse）』である。1898年1月『曙光』紙に掲載されたエミール・ゾラの大統領宛ての公開書簡のタイトルである。

ドレフュス事件の全貌を明らかにしたこの長文の書簡の最後でゾラは「私は告発する」というフレーズを8回繰り返した。ドレフュス大尉が無罪であるという事実を知りながら、陸軍の体面を保つために彼を罪に落とした人々の名を一人ひとり挙げて、その道義的退廃にゾラは筆誅を加えたのである。書簡はフランス社会に激震を与え、国論を二分する大論争の末に、最終的にドレフュスの再審と名誉回復という成果をもたらした。

この時、ドレフュスの冤罪（えんざい）を雪ぐために立ち上がった人たちが「ドレフュス派」と呼ばれる。ゾラ、ジョルジュ・クレマンソー、ベルナール・ラザールのような知識人たちが主だったが、中に陸軍防諜課長の任にあって、情報漏洩の真犯人をつきとめてドレフュス無罪を証明した軍人がいた。それがこの映画の主人公ジョルジュ・ピカール中佐である。

中佐自身はリベラルでも、知識人でも、特にユダヤ人に同情的でもなかった。ただ、軍内部から情報漏洩しているスパイを摘発するという本務を忠実に遂行する過程で、上層部が「冤罪の事実を隠蔽するためにスパイを野放しにする」という防諜上のリスクを冒していることを咎めただけである。

でも、「公人」としてはそれで十分なのだと思う。上司の過誤を遠慮なく指摘し、自己の出世より組織規律を優先的に配慮する「公人」がどれほど稀有かつ貴重な存在であるかをこの物語は教えてくれる。中佐はおのれの職を賭して、彼が忠誠を誓った軍の威信を守ったのである。


（2022年5月18日）

テクノロジーはどこまで暴走するのか

ＡＩの導入でいずれ大量の雇用消失が起きるという話を読まされてきたけれど、ここにきて論調の違う記事を読んだ。

アマゾンのジェフ・ベゾスは自律走行技術の研究開発に多額の投資をしているが、それはこの技術がアマゾンに利益をもたらすことが見込まれているからだ（配送コストを切り下げられる）。だが、果たしてそれは必要なことなのか。

米国のトラックドライバーの時給は23ドル、途上国は4ドル。途上国からの移民労働者を受け入れるなら自律走行技術を開発する必要はない。

「グローバルな採用ができるなら、雇用を破壊し、人間を機械に置き換える技術開発を求めるインセンティブは小さくなる」（L・プリチェット、「ロボットか労働者か」Foreign Affairs Report, 2023, No.4）

単純労働を機械に置き換えて人間の雇用を奪うのは、労働力以外に売るものを持たない人々を貧困に釘付けにすることである。それは人道的ではない。それよりは、安い時給でも働きたいという労働者たちをアメリカに受け入れる方がより人道的である。誰もが「国境を越えてよりましな生活を求めて移動する自由」を持つべきだとこの論者は言う。

言われてみれば、そうかも知れない。テクノロジーの進化によって雇用が消失することは、そんなに喜ばしいことなのか。テクノロジーの進化をいったん減速しても、それで人々が生きやすくなるなら、それでもいいじゃないかという「減速主義」的な論調が、このところ米国のメディアで散見されるようになった。

事実、技術がどれほど進化しても、家事労働や介護などの「非定型的単純労働」は機械では代替できない。そして、先進国で今後最も人手が足りなくなるのはこの種の労働なのである。

今、移民労働者の労働環境は劣悪である。これを改善して、誰もが自由に海外で働ける適切なシステムが構築されれば、いくつかの技術は開発の緊急性を失う。「世界に潤沢に存在する資源に代えて、技術的進化を闇雲に模索するのをやめるべきだろう」と論者は言う。

生成ＡＩについても開発の停止を求める声が米国ではかなり強まっている。野放図な技術開発は抑制すべきだという主張をtechno-prudentialismと呼ぶ。prudentialは「用心深い、細心な、慎重な」という意味である。技術開発については熟慮が必要だという考え方である。こういう意見があの米国から出てきたことに私は驚いた。

もちろんこの論者も「その方が企業は儲かる」という資本主義の基本は決して外していないのだが。


（２０２２年４月21日）

改憲はしない

政治学者の白井聡さんと対談した時に改憲の話になった。自民党は「やるやる」と言い続けるだけで、本気でやる気はないという結論に落ち着いた。

国会での発議は可能だが、国民投票で過半数をとれるかどうか確信が持てないからである。国民投票で否決されたら、自民党はほとんど党の存在理由を否定されたことになる。それではリスクが高すぎる。

それより「改憲をやるやる」と言うだけ言って、改憲派の支持層を固めておいて、それを選挙で利用するだけにして改憲には手を付けない方が政権維持には有利である。事実そうやって自民党は国政選挙で勝ち続けている。

だが、それは所詮は小選挙区制のマジックのおかげである。有権者の50％が棄権し、野党が候補者を一本化することができない現状が続く限り、20％ほどのコアな支持層を確保しているだけで自民党は永遠に政権の座にあることができる。

だが、国民投票ではそうはゆかない。選択肢が「賛成か反対か」の二者択一だからだ。「野党票が割れる」ということが起きない。

それにさすがに棄権率が50%ということもないだろう。これまで国政選挙で棄権していた人たちも多くが国民投票には足を運ぶ。この「ずっと棄権してきたけれど、久しぶりに投票所に来た」という人たちに「改憲賛成」の投票をさせるためにはどうすればいいか。

利益誘導するなら、「改憲すると、みなさんにとってこんな『いいこと』があります」と約束する必要がある。だが、自民党改憲草案を見る限り、改憲して変わるのは、「戦争ができる国」になること、基本的人権が制限されること、緊急事態条項で合法的に独裁制に移行できることなどなどであり、改憲によって市民的自由が拡大したり、生活が豊かになったり、学校が楽しくなったり……ということは全く期待できない。

となると、改憲すると何か「いいこと」が起きるという誘導は使えない。使えるのは「日本がここまでひどい国になったのは憲法のせいだ。だから、今すぐに改憲しないとこれからもっと『悪いこと』が起きる」という「憲法が諸悪の根源」論だけである。

改憲しても「いいこと」は何も起きない。でも、戦後ひさしく「不磨の大典」であり、国民がそれを尊重し擁護する義務を負っていた憲法に向かって「こいつが『諸悪の根源』だったんだ」と言って、悪罵を浴びせ、足蹴にし、唾を吐きかけることならできる。

「おい、みんな、それって、すごく気分がいいと思わないか？」

自民党が有権者に提供できるのは、そのような嗜虐的快感だけである。果たして、それを聞いて「なるほど。じゃあ現行憲法をみんなで踏みにじる『お祭り』にオレも行こう」と言って、改憲賛成の票を投ずる国民がどれほどいるか、改憲派は今それを測りかねているのだと思う。

（2023年3月22日）

医療後進国に陥りそうな日本

『ランセット』という医学雑誌がある。そこに興味深い論文が掲載されたと医師の友人から教えてもらった。世界191の国・地域他のコロナによる死者数とコロナに関連する超過死亡者数を比較した研究である。

2020年はじめから2021年末までに報告されているコロナの死者数は世界で594万人だが、この研究ではコロナによる死者の推定数は1820万人。人口10万人あたりの死者数は世界平均で120人だそうである。特に高いのがロシア（375人）、メキシコ（325人）、ブラジル（187人）、アメリカ（179人）。

日本の死者数は公式発表によれば1万8400人、10万人あたり7・3人で世界全体（39・2人）の五分の一という「優等生」である。

しかし、『ランセット』の論文は日本の超過死亡者数は実は11万1000人、10万人あたり44・1人と推定している。つまり、政府の公式発表死者数より6倍以上多いというのである。

どこの国の政府もコロナによる死者数を抑制的にカウントして、他の死因によって説明する傾向があるのは事実である。実際に医療環境の整っていない国では、死因がコロナなのか、それ以外の疾病なのかを厳密に見分けることはむずかしい。

それでも日本がコロナ死者数を「過少報告」している可能性の高い国として国際的な学術誌で名指しされたことは重大だと私は思う。先進国で推定死者数が報告された数の6倍などというでたらめな国はないからだ。米国、英国、ドイツ、スウェーデン、韓国などは報告された死者数と推定死者数の間に2倍以上の差はない。

国内向けに「政府の感染症対策は万全でした」と言い続けていれば、政権与党はこれからも選挙には勝つことはできるだろう。だが、それは国際社会から「医療後進国」とみなされることで失うものより価値があることなのだろうか。

（2022年5月20日）

コロナに感染して

微熱が下がらず、咳も止まらないので、近所の病院の発熱外来に行って、ＰＣＲ検査を受けたら、「コロナ陽性でした」という連絡があった。病院でもらった紙に保健所のＱＲコードが印刷してあるから、あとはその指示に従うようにと言われた。熱でぼおっとした頭で必要な個人情報を入力して送信した。そのうち何らかの指示があるらしいが、一日経っても連絡はなかった。どういうシステムなのかよくわからない。病院でもらった解熱剤と咳止めがもうそろそろなくなる頃になっても、そのあとどうすればいいのか誰も教えてくれない。

友人たちからは「要るものがあったら言ってください」というお見舞いメールが次々届く。以前、夫婦で感染して、家から出られなくなった門人のところに食料品や水を段ボール箱に入れて差し入れしたことがあった。そのご夫妻が私の感染の報を聞いて、大量の食料品を届けてくれた。たっぷり十日分くらいあった。困った時は相身互い（あいみたがい）である。

コロナ対策で日本政府が構築してきたシステムはどれくらいに適切で有効なのだろうか。私が知る限りの周りの感染者たちは全員「自宅放置」だった。さいわい誰も重症化しなかったからよかったけれど、ほんとうにこれは感染症に対する処置として正しい手順に従ってやっていることなのだろうか。「コロナ陽性」と認定されただけで、あとは「ただの風邪」と同じ扱いである。

保健所も人手が足りないので、患者全員にまではなかなか手が回らないという事情はわかる。しかし、どんな場合でも初動が重要だ。感染拡大を予防するために患者はまず何をすればよいのか、隔離空間をどう確保するのか、症状が重くなった場合にはどうすればいいのか、薬が切れた時はどうすればいいのか、知りたいことがいろいろある。メール一本で伝えられる情報だと思うのだが、ついに何も来なかった。

（2022年5月18日）

トップダウン組織の蹉跌（さてつ）

システムが瓦解する時にはトラブルが同時多発的に発生する。一つひとつは対処可能な事案であっても、それが同時多発すると手が回らなくなる。今の日本はそういう状態になりつつある。

マイナンバーカード、入管法、政務秘書官の公私混同……どれも「炎上」する手前で、誰かが「これをこのまま進めるとたいへんなことになる」と気づいて、止めさせておけば問題にならずに済んだ話である。

だが、今の日本のシステムではそれができなくなっている。要路に「ことの適否を判断できる人」を配して、上からの指示の適否をチェックさせるということが行われていないからである。

別に人事で手抜きをしているわけではない。逆である。上位者から発令される指示に決して逆らわないイエスマンだけで組織が構成されているからである。

上からの命令に対して「それではことの筋目が通らない」とか「そんなことをしたらいずれたいへんなことになります」と言って命令の示達を止める人間がいるということが今の日本社会では許されていない。「諫言する」ということ自体がトップダウンの組織においてはあってはならないことだからである。

たしかにトップの指示が末端まで遅滞なく行き届くというのは一見すると組織がうまく機能しているように見える。けれども組織が上意下達的であるということと組織が適切に機能しているということはまったく別のことである。

トップダウンの組織が適切に機能するためには二つの条件のどちらかを満たさなければならない。トップが絶対に間違いを犯さないか、トップが誤った指示を出した場合にただちに交代を命じるだけの強制力を持つ上位機関（株式会社における株式市場）が存在するか、どちらかである。いまの日本政府はそのどちらの条件も満たしていない。

（2022年6月2日）

後手に回る人たち

武道を教えていて当惑することの一つは門人たちが「査定慣れ」していることである。「査定慣れ」していると、技が効いているかどうかを相手に訊いてしまうのである。「あの、今の僕のかけた技は、5段階評価でどれくらいですか？」「う〜ん、3・5くらいかな」というようなやりとりを（無言のうちに）ついしてしまう。まじめな稽古態度のように見えるかも知れないけれど、これは武道的には禁忌なのである。

相手が査定する側で自分が採点される側に身を置くことを、「後手に回る」と言う。そして、後手に回ると必ず敗ける。でも、今の人たちは「誰かが出した問いを解いて、そのスコアに基づいて自分が何者であるかを知る」というスキームの中で育ってきている。学校でも、部活でも、バイト先でも、就職先でも、ずっとそうやって査定され続けてきた。だから、どうして自分が査定される側に釘付けにされているのかという根源的な問いを発することをしない。

査定され慣れた人間は必ず後手に回る。どんな質問をされても、された瞬間に「査定者」と「被査定者」という非対称的な権力構造に取り込まれる。自分が何者かを決める権利をあっさり他人に委ねてしまうのである。

だから、論争上手の人はいきなり質問してくる。「憲法23条をご存じですか？」とか「ロシアのＧＤＰを知ってます？」とか「『資本主義』の定義って何ですか？」とか、何でもよい。自分が「採点する側」で相手が「受験生」であるという非対称的関係のうちに一気に持ち込むための技巧的な問いなのである。だから、即答できそうもない問いなら何でもよい。この狡猾な論争術を鮮やかに駆使する人がメディアでもてはやされているのは、それだけ現代人が「査定され慣れて」いて、問いを向けられると、たちまち「受験生マインド」になってしまうからである。でも、そうやって「後手に回っている」限り、敗け続けるしかないのである。

（2022年6月3日）

まず上下関係の確認から始まる

感染症医の岩田健太郎さんが西アフリカでエボラ出血熱の治療に当たった時のことを話してくれた。

WHOや国境なき医師団など複数の組織が共同作業するのだが、現地では抗生物質も栄養剤もマスクも防護服もあらゆる医療資源が足りない。そういう環境で働く医療者たちはいつの間にか『七人の侍』的なジョブ型集団を形成するようになるのだそうである。

ジョブ型集団というのは、それぞれ「余人を以ては代え難い」異能を持つ専門家たちが「ありもの」の潜在可能性を最大化して働く集団のことである。資源が決定的に不足している環境ではそのような集団しか使いものにならない。誰でもできる仕事を他人よりうまくできることを誇る人間も、道具が全部揃っていないと「仕事ができない」と不平を言う人間もジョブ型組織には居場所がない。

日本では話がまったく逆になると岩田さんは言う。医療現場に行くと、「何ができるのか」より先に医師か看護婦か薬剤師かといった職種が問われる。所属組織と卒後年数と出身大学が問われる。まず上下関係の確認から話が始まるのである。誰が上司で、誰が部下で、誰が誰に敬語を使い、誰が「ため口」でいいのかをまず決める。そうしないと仕事が始まらない。

これが日本がここまで衰微したことの一因だろう。上意下達の組織を作り、権限や情報を中枢に集め、何をするかは管理者が決定し、現場のメンバーには自己裁量権を与えない。今の日本で言われる「ガバナンス」と「コンプライアンス」とは現場でどんな緊急事態が発生しても、上位者の指示があるまでは現場は「フリーズ」して、何もしてはいけないという意味にまで矮小化された。

集団がいかなるミッションを果たすために存在するのかを忘れ、組織を上意下達的に編成管理することだけに全力を集中する「組織マネジメント原理主義」が今日本のあらゆる組織を蝕んでいる。

（2022年6月10日）

平和憲法と民主主義が輝きを失った理由

四大学卒業生で作る九条の会に招かれて講演をした。聴衆の平均年齢は70歳超え。若い人たちは護憲集会にはなかなか結集してくれない。この高齢の聴衆を前に、私たちが子どもの頃の日本では憲法と民主主義が輝いていた。その輝きが今はもう消えたという話をした。

たまたまその前日、今井正監督の１９４９年作品『青い山脈』を観たばかりだったので、この70年余で「民主主義」という言葉がどれほど力を失ったかが一層骨身にしみた。それよりむしろ、なぜ「民主主義」という言葉が敗戦直後の日本ではあれほど輝いていたのか、あれほど力があったのか、それについて考えた。

たぶんこんなことではないかと思う。

敗戦国民にはもう誇るものが何もなかった。維新以来80年かけて先人が営々として築き上げてきたものはことごとく灰燼（かいじん）に帰（き）した。かつては世界五大国の一角を占めていた帝国は最貧国レベルまで転落してしまった。誇るべき何ものをも持たない敗戦国民の手に唯一残されたのが憲法の「道義的卓越性」だった。

９条は世界ではじめて戦力も交戦権も放棄した画期的な条項である。この条項は「道義において世界に冠絶する国」を名乗る権利を日本人にもたらした。戦争に惨敗しながらなお当時の日本人は「世界に冠絶する何か」なしではいられなかったのだ。

それゆえ当時の日本人はこの栄誉を歓呼の声で受け入れた。平和憲法に輝きと力があったのは、それまで否認したら敗戦国民にはもう世界に誇るものが何一つなかったからである。その切迫感を私たちは想像してみるべきだと思う。

でも、そのあと日本人はいろいろなものを手に入れた。経済的に豊かになり、一時期は経済力でアメリカに肉迫した。軍事力でも世界屈指の国になった。もう「道義的卓越性」なんか要らない。日本人がそう思うようになるにつれて平和憲法は輝きを失い、気がついたら、こんな貧しく道義性のない国になった。そんな話をした。

（２０２３年６月16日）

カジュアル化するレイシズム

撮影のために若い人たちが訪ねてきた。シナリオがあらかじめできていたらしく予定された結論へさかんに私を誘導する。そんなやりかたでは面白い映像は撮れないぜと思ったが、黙っていた。しかし、そのうちに「日本人の身体がこんなに劣化したのは、外国から異質な身体文化が入り込んで日本人の身体を汚染したからではないでしょうか」という質問をしてきたので、ちょっと座り直した。

「そういうイデオロギーがこれまで世界にどれほどの害悪をなしたか君は考えたことがあるのか」と少し真面目に問い直した。

歴史上のあらゆる人種差別や民族浄化は「われわれの社会のさまざまな不調は、純血種族のうちに異物が入り込んできて、汚れをもたらしたせいで起きた。だから、この異物を特定し、排除すれば、種族は原初の清浄と活力を回復する」という妄想に駆動されてきた。そういう説話原型に対しては、もう少し警戒心を持った方がいいよ。

そう説いたのだが、こちらの意図がよく伝わらなかったらしく、言葉を替えて似たような質問を続けてきた。「外来の身体文化を廃して日本の身体文化を回復すべきだ」というのが私に語らせたい結論だったらしい。私が武道や能楽を稽古し、禊や滝行を修しているとどこかで伝え聞いて、「日本固有の身体文化を回復させようとしている人」と思って取材に来たのだろう。

たしかにその通りなのだけれど、私はそれを外来の異文化を排して、自分の身体を民族的に浄化するために行っているわけではない。私は自分の身体の奥に蓄積している「身体の古層」とでもいうべきものに触れたいだけである。それは「純粋な日本文化の探求」というようなイデオロギー的なものとは関係がない。

彼らにはその違いがよく理解できなかったようである。若者たちの悪気のなさそうな戸惑った表情をみているうちに「カジュアルなレイシズム」という文字列が頭に浮かんだ。

（2022年6月27日）

青年という季節

「戦後日本が失ったもの」というテーマで映画論の連続講義をしている。先日は成瀬巳喜男監督の『乱れる』を観て「青年の消滅」について話した。1964年のこの映画で加山雄三が演じた酒屋の次男坊が私見によれば「最後の青年」である。この後、スクリーンから青年の姿は消える。

「青年」は明治40年代に生まれ、昭和40年代に消えた、歴史上60年間だけ存在した特異な社会的カテゴリーであるというのが私の持論である。

青年は少年らしい正義感と理想主義を保ちながらも、自己の信念を実現できるだけの社会的実力は身に備えている。一通りの理屈は言えるが、感情的には未成熟ないわば「子どもと大人の中間種」である。

青年の登場を要請したのは明治国家である。この時期、日本は短期間に近代化を遂げ、欧米列強と伍する国家になることに国運を賭けていた。「国家須要(しゅよう)の人材」の育成は急務だった。凡庸な秀才やイエスマンではその任に堪えない。欧米の最先端学知や技術を身につけながらも、広々とした視野を持ち、自由闊達(かったつ)で、かつ日本の伝統文化や山河に深い愛着を持つ新しいタイプの若者を日本は必要としていた。

夏目漱石は『虞美人草』や『坊っちゃん』や『三四郎』を通じて新しい青年像を造形してみせた。森鷗外も『青年』で彼なりの青年像を彫琢(ちょうたく)した。大正生まれの世代はこれらの青年像に強い影響を受けて自己造形を果たした。堀田善衞の『若き日の詩人たちの肖像』

や吉田満『戦艦大和ノ最期』で私たちはこの世代の青年たちの真率と責任感を窺い知ることができる。でも、大正生まれ男子の7人に1人は戦争で死んだ。

戦後の若者たちは虚無的で利己的になり、「国家須要」であることに興味を失った。それでも、大勢に抗う勇気を持ち、まっすぐ頭を上げて生きる青年の横顔はいくつかのフィルムに焼き付けられて残った。

（2023年7月14日）

政治と市場は教育に関与してはいけない

映画『教育と愛国』を観て、斉加尚代監督とアフタートークをしてきた。

映画は安倍・菅政権の9年間に日本の学校教育にどれほど政治が過剰介入してきたのかを、教科書問題や日本学術会議問題などを通じて明らかにしたものだった。

映画を観て私が最も驚いたのは、教育に介入する政治家たちがあまりにも無邪気に「教育は権力者の意向に従うべきだ」と信じていることであった。「自分には大きな権力があるので、それを濫用して学校教育を統制してやろう」と作為しているのではないのである。彼らは「学校教育を統制することは権力者が当然果たすべきルーティンワークの一つだ」と信じているのである。選挙で相対的に多数派を制した政治勢力にはすべての子どもたちが何を学ぶべきかを決定する権利どころか義務があるという素朴な思い込みはいったいどこから生まれたのか。

政治やビジネスは「複雑系」である。わずかな入力変化が巨大な出力差になる。「北京で蝶がはばたきするとカリフォルニアでハリケーンが起きる」のが政治とビジネスの妙味である。だから、みんな熱狂する。

けれども、教育や医療や司法や行政などの「社会的共通資本」は複雑系ではない。それらの制度は定常的であること、入力の変化があっても動じない硬直性がむしろ優先される。社会的共通資本は生身の人間が生きてゆく上でなくては済まされないものだからだ。政権交代したので教育制度が変わったとか、株価が下がったので医療制度が変わったとかいうようなことはあってはならない。だから、政治と市場は社会的共通資本には関与してはならないと久しく教えられてきたのである。

映画を観ていたら、その「常識」がまるごと抜け落ちている人たちが権力の座にあり、教育制度を好きなようにいじりまわしていた。それを見て、背筋が寒くなった。

映画を観てわかったのは、教育にうるさく介入する政治家や官僚たちを駆動しているのは、彼らの歪んだ政治イデオロギーだけではなく、「組織マネジメント原理主義」とでもいうべき病だということであった。

これはこの四半世紀ほどわが国に蔓延している一種の風土病である。「トップの指示が遅滞なく末端まで示達されるのが最良の組織だ」という思い込みのことである。「それのどこがいけないのか？」と怪訝(けげん)な顔をする人もいるだろう。だが、組織が過度に上意下達的になると、ある時点から「ブルシットジョブ」の汎濫のうちに組織は崩壊する。というのも、組織が１００％上意下達的であるかどうかを確認する最も精度の高い方法は「無意味な指示を発令すること」だからである。そう急に言われても意味がわからないだろうから、説明する。

組織がきちんと管理されているかどうかをチェックするためには、上位者の指示が遅滞なく末端まで示達されるかどうかを見なければならない。指示が途中で止まったり、現場に届くまでに長い時間がかかったりするのは組織マネジメントができていない証拠である。ではどういう指示を発令すれば、組織マネジメントが正確にチェックができるか。これは論理的には自明である。「無意味な指示」を出すのである。

組織に多くの福利をもたらすような「意味のある」指示をトップが発令したとする。それがただちに末端まで示達されても、それは組織が上意下達的であることを証明してくれない。そうではなくて、まったく無意味な指示であっても、それが「トップの発令」である限り、誰も異議を唱えずに伝達されるのが真の「上意下達」組織なのである。上位者の指示に対して「こんなくだらない命令には従えません」とか「こんな有害な指示には従えません」という異議が入るような組織は「上意下達的になっていない、不出来な」組織なのである。だから、そういう「常識的」抵抗をする人間を検知して排除するためには「ブルシットジョブ」の濫発が最も効率的なのである。

それゆえ、「組織マネジメント原理主義者」たちがトップに立つと、彼らは朝から晩までひたすら無意味な指示で人々を消耗させることになる。どれほど無意味なタスクを課しても「誰も逆らわない」というところまで組織を「浄化」すると、自分が組織を完全にグリップしているという全能感を得ることができる。そういう人たちが日本の組織には多すぎる。

（2022年7月29日）

防衛費のゆくえ

防衛費をＧＤＰの２％にまで引き上げるという話が喧しい。Ｆ－35戦闘機１０５機、６兆７千億円の「爆買い」から分かるように、増額された防衛費の相当部分は兵器代金として米国に吸い上げられることになる。日本の良民はご存じないようだが、米国の軍事専門家によるとＦ－35は「時代遅れのレガシープログラム」だそうである。米国は「不良在庫」を日本に押し付けるつもりなのである。

今、米中は軍備のＡＩ化を競っているが、テクノロジーでは中国が一歩先んじている。ＡＩ化というのは従来の中央集権的組織な軍を解体して、離散型・自律型ネットワークに再編することである。これなら、中枢が攻撃されて機能不全に陥っても、ネットワークの末端が生き延びれば体制を再構築できる。

だが、軍のＡＩ化が進むと、大型固定基地も、巨大艦船も、戦闘機も要らなくなる。だから、旧来の中央集権的な軍組織から受益してきた人々は軍のアップデートに反対している、という話が米国の外交専門誌に書いてあった。そこまでは事実だが、以下は私の妄想である。

軍の旧体制から受益してきた兵器産業や、選挙区に兵器産業を擁する議員たちは、既得権益を手放したくないので軍のＡＩ化に抵抗する。当然だと思う。軍のＡＩ化が進行すると、兵器産業は莫大な不良在庫を抱え込むことになるし、職業軍人たちは職を失うかも知れないからである。この既得権益者たちは、今のところは「それなりの力」を持っている。だから、この方たちに口を噤んでもらうためには、「それなりの金」を握らせなくてはならない。

兵器産業と軍人の連合体のことを「産軍複合体」と呼ぶ。それが米国の政治を歪めていることはアイゼンハウアー大統領の時代からずっと言われ続けてきたことである。それが今、軍のＡＩ化によって、瀬戸際に立たされている。彼らが国の安全保障政策に口を突っ込まないでもらうことが、国防上米政府の急務となる。でも、どこから「それなりの金」を引っ張って来ればいいのか。答えはもうご存じの通りである。

私がもし米国務省の役人なら上司に「それ、日本に払わせればいいじゃないですか」と進言する。

「岸田政権は支持率下がり続けで後がありません。うちの兵器の不良在庫を引き受け、大型基地維持コストを引き続き負担するなら自民党政権を永遠に支持すると約束すれば飛びついてきますよ」

ありそうな話だと思いませんか。

（２０２２年12月15日）

政治的想像力の欠如について

マイナンバーカードをめぐるトラブルが止まらない。首相はようやく２０２４年秋の健康保険証廃止を先送りする意向を示したが、遅きに失したと思う。国民の７割以上が「不安を感じている」システムを強行する理由などどこにもない。これまでも議論を尽くさず、「丁寧な説明」もないまま次々と重要な案件を強行してきた岸田内閣だが、今回は立ち止まらざるを得なかった。だが、なぜ今回だけは立ち止まったのか。私はむしろそれが気になった。

というのは、軍事費の増大や入管難民法、ＬＧＢＴ法案、インボイス制度のような重要案件に国民の過半はさしたる関心を示さなかったからである。たぶん多くの国民にとってそれらは「他人事」だったからだろう。マイナンバーカードについても、それがバグだらけの不出来な仕組みであることは前から国民には周知されていた。だが、強いて反対するには及ばないと思っていた。「どうせ他人事」だと思っていたからである。

けれどもマイナンバーカードと健康保険証と「ひもづけ」されるということになって、いきなり話が「わがこと」になった。健康保険証はこちらが忘れていても、更新されるたびに保険組合から送られてくる。それが来なくなる。自分で役所に行って煩瑣（はんさ）な手続きをしないと失効して、無保険者扱いになるリスクがある。病院の窓口で保険証が「読み取れない」と突き返されたり、「とりあえず10割負担してくれ」と言われたり、別の人間の医療情報と関連づけられたりしたというようなトラブルは、紙の保険証の時にはたぶん誰も経験したことがない。だが、マイナンバーカードではそういうトラブルがすでに頻発している。だとしたら、それが「わが身に起きる」蓋然性は高い。

その不安が内閣支持率の急低下につながった。あわてて岸田首相は不安の払拭をめざして、紙の保険証の廃止を先送りした。いずれ保険証の話にみんなが飽きた頃にそっとやれば済む話だと思っているのだろう。

だから、この「先送り」を国民の要求に政府が屈したというふうに肯定的に評価することが私にはできない。これはむしろ有権者の政治的想像力の貧しさを露呈したものだと思う。

わが有権者たちは、政策そのものの適否についてはほとんど関心がない。たまたまその悪影響が「わが身に及ぶ」リスクが高いと思われた場合に限り関心を持つ。その影響が及ぶ範囲が他人に限られる場合には、それが適切であろうが不適切であろうが、興味がないのである。

とてつもない額の軍事予算を組んでも、難民問題やＬＧＢＴ問題のような人権問題で国際社会から「後進国」レベルと批判されても、インボイス制度で個人事業主たちが不要な書類作成と税負担に苦しんでも、それが「他人事」である限りわが有権者たちは気にしない。でも、自分の保険証が効かなくなるかもしれないと思うと、たちまち内閣支持を取りやめる。

「自分の尻に火がつくまで」は政府が何をしているのかには特段の興味がなく、「尻に火がつく」とはじめて反応する。これを「いかにも庶民らしいしたたかな批評性」とみなす人がいるかも知れないけれど、私にはただの政治的想像力の欠如にしか見えない。

（２０２３年６月26日）

日本の知的未来になぜ投資しないのか

資金難に陥った国立科学博物館が２０２３年8月7日に開始したクラウドファンディングはわずか9時間半で目標額の1億円を達成した。動植物や化石の標本などを管理するための光熱費が高騰し、その予算を補塡するために企画されたものである。目標の達成を喜ぶよりも、そのような通常業務にさえ支障が出るほど、国立の施設が貧しくなっていることにまず驚くべきだろう。「国立」の博物館が光熱費を支弁するために民間からの寄付に頼らなければならないほどに予算が削られているのである。財務省を非難する声が高いのは当然だろう。

その一方で、マイナンバーカード普及のためのポイントやテレビCMに政府は2兆円を投じた。普及のために莫大な金を投じたのはカード取得が「任意」だからである。だが、その後になって健康保険証を廃止する法律が出来て、カード取得は事実上「義務化」された。「人参」で釣ったけれどうまくゆかなかったので、「鞭」に切り替えたのである。「人参の代金」2兆円は「どぶに捨てた」のと変わらない。

日本政府のこの金銭感覚は異常であるが、それ以上にこの間の日本政府の学術とりわけ高等教育に対する冷遇にはほとんど憎悪に近いものを感じる。国立大学運営交付金の削減、大学教授会からの権限剝奪、日本学術会議の会員任命拒否……、政府がしてきたことは一貫している。ひたすら研究教育にかかわる人たちから自由と権利を奪い、政権に忠誠を誓う者たちにだけ優先的に資源を配分する仕組みを作ろうとしてきたのである。権力者の顔色を窺う学者だけを厚遇し、政権に批判的な学者を日干しにすれば、たしかに統治コストは安く上がるだろう。だが、統治コストの削減に夢中になっている間に日本の学術的生産力は転げ落ちるように低下した。政府は日本の知的未来を支える世代をこのあとどうやって育てるつもりなのか。

（2023年8月10日）

外国籍の子どもたちのための教育

毎年夏の終わりには、旧知の教員たちと温泉に行く。現場の話はつねに刺激的である。今回も教育現場の生々しい現実をいくつも教えてもらった。

最も印象的だったのは、外国人の児童生徒の増加についてである。日本企業に就業した親に連れられて日本で暮らすようになった子どもたちがいる。この子たちは日本国籍ではないので義務教育の対象ではない。でも、教育を受ける権利はある。だから、学校に来る子もいるし、来ない子もいる。だが、学校に来る気のない子どもに向かって「学校においで」と呼びかける公的制度や国民的合意が日本社会には整備されていない。

この子どもたちの母語はポルトガル語やベトナム語である。だから、学校に来て日本語で授業を受けても、よく理解できない。彼らのために外国語が話せる非常勤講師が配属されるけれども、まったく数が足りない。

現場の先生たちはずいぶん苦労している。それでも外国籍の子を教えることに情熱と使命感を持っていることは、話を聴いていてよく伝わってきた。というのは、この子たちがもし学校に来るのを止めてしまえば、彼らはやがて、日本語が読めない、書けない、四則計算もできない、歴史や地理や物理や化学についても基礎知識を欠いた「大人」になる他ないからである。彼らはおそらく母語でさえきちんとした読み書きができないだろう。彼らはいわば祖国と日本の「隙間」に落ち込んだ子どもたちなのである。それも自分の意思によってそうなったわけではない。私たちは彼らを「帰るべき祖国のない子ども」にしてはならない。その強い使命感が現場の教員たちの話から伝わってきた。

以前、別の先生から15歳のムスリムの生徒の話を聴いた。この少年は教師の指示をしばしば「それはイスラームの教えに反する」といって退けるそうである。多宗教共生の社会をめざす以上、子どもの信仰に対しては十分な敬意を払う必要がある。それは正しい。でも、学校行事のあれこれについてそのつどこの子に「信仰をまげてくれ」と説得することはたいへんな苦労なのだと先生は言う。「今はクラスに一人ですから、なんとかなりますが、これがクラスに五人になったら、クラス運営が難しくなる。どうすればいいでしょう」と訊かれた。答えに窮した。

「教えに反する」の一言で他国の規範や習俗を簡単に切り捨てることができるのは、宗教的に未熟だからである。大人はもっと葛藤するものだ。

「多宗教共生のためには、信仰を持つ市民たち一人ひとりが宗教的に成熟するしかありません。信仰と市民生活の間の葛藤に苦しむことができるまで彼の宗教的成熟を支援してください」と私は答えたが、実践的な答えにはなっていない。

この問題について、私たちは答えを出すどころか、問題について熟考する段階にさえ達していない。

（２０２２年８月25日）

部活は何のためにあるのか

文科省のスポーツ庁が主導して、公立中学校での部活の「地域移行」が進められている。2023年度からまず運動部の地域移管が始まり、文科系部活についても2022年7月には提言がまとめられた。

勝利至上主義に毒された指導者が生徒の人格を否定するような暴言を吐き、体調を崩すほどの長時間拘束を強いる「ブラック部活」はない方がましだと私も思う。それに、教員たちにとっても部活の指導は重い負荷になっている。部活の顧問になって休日返上して指導にあたった教員が心身を病むという事例も多数報告されている。

生徒も苦しみ、教員も苦しんでいる。だったら、そんな部活はアウトソースすればいいというのがこのたびの「地域移行」の理由だ（と私は思う）。

むろん文科省はそんなことは言わない。地域移行は「少子化による廃部で、子どもの選択肢が減っているので、もっと多様な選択肢を提供する」、「専門家による指導が受けられる」という「よいことずくめ」の施策だとされている。

しかし、アウトソーシングを受け入れる地域の側にも不安材料はある。部活の指導にあたる人はその分野での専門家ではあるけれど、教育者ではない。果たして部活の「教育的な意味」をどれくらい理解しているだろうか。

部活というのは世界のどこにでもあるというものではない。以前、フランスの青年から「先生は合気道をどこで教えているのですか?」と訊かれて「大学のクラブ活動」と答えたら、怪訝な顔をされたことがある。「何ですか、それ?」というので、「放課後に学生がキャンパスのグラウンドでスポーツをしたり、バンドの練習やったり、芝居の稽古したりするじゃない」と説明したが、「そんなものはフランスにはありません」とあっさり言われた。

学校は勉強だけするところで、授業が終われば生徒たちは外に出され校舎は施錠される。サッカーや水泳のクラブはあるが、それはいったん家に戻ってから個人的に通うものであって、車でクラブまで送り迎えしてくれて、高額の料金を負担できるだけの経済力のある家の子どもたちだけのためのものである。そう言われてみたら、フランス映画で中高生が部活に興じるという場面を見た記憶がなかった。

パリの「バンリュー(低所得者向け集合住宅地)」には図書館も美術館も音楽ホールも映画館も、およそ文化的なものは何もないという話を、以前バンリューの中学で先生をしていたというフランス人から聴いたことがある。だから、そこで暮らす子どもたちは本を読んだり、音楽を聴いたり、美術品を鑑賞したりという機会そのものを奪われているのである。なるほどそのようにして文化資本の偏在が制度化され、階層社会が再生産されているのかと得心がいった。

日本の部活には「文化資本の民主的分配」という側面があったことを私たちは忘れている。部活があるから貧しい家の子どもたちでも、運動器具や楽器やさまざまな機材を無償で使うことができる。それによって子どもたちは運動能力であれ、芸術的才能であれ、自分の「隠された資質」を発見する機会に出会う。部活とは本来はそのようにして子どもたちの中に潜在している才能を発見し、その開花を支援するための制度だったのではなかったか。その初発の教育的意図を教師たちも保護者たちも忘れてしまったように私には思われる。

（2022年6月21日）

教育法としての修行

教育法としての「修行」とはどういうものか取材を受けた。

「修行」は宗教や武道について用いられる語だが、その特徴は「最終目的地は示されているが、そこに至る行程については情報が開示されていない」という点にある。宗教なら「大悟解脱」、武道なら「天下無敵」が最終目的地だが、ふつうはそこに至るはるか手前で生涯を終える。彼らに「で、あなたは全行程のどの辺まで行きましたか？」と訊いてもはかばかしい回答は得られない。修行においては「全行程を一望俯瞰する視点」というものがないからだ。「半分くらい悟りました」とか「あとちょっとで名人達人でしたが」というようなことを行者は言わないし、言えない。

地図なしに「道」を歩めるのかと怪訝に思う人がいるかも知れないけれど、修行の場合は「先達」がいるので、行者はその背中を見てあとをついてゆけばよい。

修行は「自分の限界を超える」という効果においてはきわめて有効な教育方法である。

修行し始めた時、修行者は自分が何を学んでいるのかよく知らない。自分の手持ちの度量衡ではその価値や意味を考量することのできないものを、気がついたら「学んでいた」ということが修行では起きる。だから、修行にはカリキュラムも、工程表も、シラバスもない。なにより成績表というものがない。他の人たちとの相対的な優劣を競うことは修行にとって何の意味もないからである。

もともと教育には古来修行的要素がつねに含まれていた。「その意味や価値があらかじめ子どもたちにも知られている知識や技能を習得するプロセス」とは別に「子どもたちがその名前も意味もわからない知識や技能を気がついいたら習得していたプロセス」の二つがわかちがたく絡まりあって、学校教育は成り立っていた。だから、教壇に立つ者も「教師」と「先達」の二つの役割を演じ分けていた。でも、現在の学校教育にはもう修行的な要素はほぼ含まれていない。

なぜ、こんなことになったのか。私にも歴史的経緯はわからない。たぶん子どもたちが劇的な自己刷新を遂げることを「好ましくない」と思う人たちが教育の制度設計を専管するようになってからだろう。

（２０２２年11月25日）

研究力低下と大学の非民主化

日本の研究力低下が止まらない。科学技術分野での国際的に影響力のある論文ランキングで、日本は10位から12位に下がり、スペイン、韓国に抜かれた。日本の大学の学術的発信力は低下し続けている。2018年の科学技術白書も「我が国の国際的な地位の趨勢は低下していると言わざるをえない」と認めたが、その後効果的な手立てを打てずにここまで来てしまった。論文数も、科学技術関連予算も、博士課程進学者数も、増えてはいるが国際的な流動性は低いとして海外派遣研究者数も、あらゆる指標が日本の教育行政が失敗していることを示しているが、政府は教育コストの削減を止めようとしない。

2015年に学校教育法が改定されて、大学教授会の権限が大きく殺がれた。大学は学長・理事長に権限が集中する「株式会社のような」トップダウン組織になった。それによって大学の組織運営は画期的に効率化するはずだった。たぶん「効率化」はしたのだろう。ひたすら人員を減らし、予算を削り、短期的に成功しそうな研究計画にだけ予算を配分する「選択と集中」が実現したのだから。

だが、その結果がこの底の見えない研究力低下である。教育改革を主導してきた人々はこのみじめな結果をどう総括するのか。

というのは修辞的な疑問であって、私は答えを知っている。

それは「改革が足りなかった」というものである。政府の政策は100％正しかったのだが、頑迷固陋(ころう)な現場の教職員がその実現に抵抗したせいで所期の成果が得られなかった。だから、さらにトップの権限を強化し、現場から自己裁量権を奪い取るべきだ。トップのアジェンダに忠実に従うイエスマンだけを重用し、反対する者は排除すれば、研究力はV字回復する。

教育行政を司っている人たちがほんとうにそんな楽観論を信じているのか、もっと虚無的になっていて「日本の学術なんか消えてなくなればいい」と思っているのか、私にはわからない。

（2022年9月22日）

新聞メディアの終焉

読売新聞大阪本社と大阪府が情報発信などで連携協働する「包括連携協定」を結んだ。「府民サービスの向上」と「府域の成長・発展」をめざすと謳っているが、新聞が一政党が一元的に支配している地方自治体と連携するというのは異常な事態という他ない。

ジャーナリスト有志の会がただちに抗議声明を発表し、私も賛同人に加わった。大事なことは抗議声明に書かれている。私が付け加えるとすれば、それはこのふるまいが「新聞メディアの終焉」を告知しているということである。

新聞の発行部数は減り続けている。日刊紙の総発行部数は２０２１年に３３００万部。前年比５・９％減である。地区別で見ると、部数減少幅が最も大きいのは大阪である。読売新聞は２００１年には全国１０００万部超だったがこの20年間で部数を35％減らした。購読者の高齢化が進んでいる以上、新聞メディアがビジネスモデルとして破綻するのはもう時間の問題である。不動産を持っている新聞社はテナント料でしばらくは新聞発行を続けられるだろうが、それを「ジャーナリズム」と呼ぶことはもう難しい。

読売新聞大阪本社が大阪府との連携に踏み切ったのは、そうすることでメディアとしての質が向上すると思ったわけではあるまい。ただ「金が欲しかった」だけだろう。新聞も私企業である。経営上の必要から「金主」を探してどこが悪いという言い分にも一理はある。だが、ことは一新聞の財務問題ではなく、新聞メディア全体の信頼性にかかわる。読売のふるまいは新聞メディアそのものに対する国民の信頼を深く傷つけたと私は思う。

仮にも全国に数百万の読者を有するメディアには、それなりの社会的責務がある。「権力の監視」もそうだし、「社会の木鐸（ぼくたく）」として世論を領導することもそうだ。だが、最も大切なのは国民的な議論と合意形成のための「対話の場」を提供することである。「対話と合意形成の場」の提供という仕事はマイナーなメディアには期待されていない。小規模なメディアは「同じ意見の人間だけが集まって盛り上がる」排他的な場であることが許される。というか、その特権を享受することの代償に「あるサイズ以上にはなれない」という限界が課されているのである。例えば『週刊金曜日』は改憲論者や対米従属論者に発言機会を与える義務を免じられているが、その経済的代償は支払っている。全国紙は違う。「広く異論に開かれていること」によってはじめて「ある程度以上のサイズであること」を達成する。言論の多様性を身銭を切って守ることで、ビジネスモデルを維持できるのである。

理屈を言わせてもらうが、メディアが単体として「公正中立」であることはできない。「うちは不偏不党にして公正中立なメディアです」と自分で保証してみせても始まらない。公正中立とはさまざまな異論が自由に行き交い、時間をかけて「生き残るべき言葉」と「淘汰されるべき言葉」が選別される言論の場を維持することである。公正中立な言論は単体では自存しない。自由な言論の場を守るための絶えざる努力によってしか存立しない。その努力を止めた時に公正中立は消え失せる。それだけの緊張が「大手」であろうとするメディアには要求されている。

だが、日本の大手メディアはもうずいぶん前からその気概を失ってしまった。公権力の広報機関であることで「金の心配がなくなる」ことは合理的な延命策だと経営者たちは判断したのだろう。けれども、公正中立であろうとする痩せ我慢を止めた時にメディアはサイズを失う。

読売新聞は経営判断の過ちにいずれ気づくだろう。

（2022年1月12日）

駝鳥の政治

ある日刊紙から「思考停止している中高年サラリーマンに一喝」という寄稿依頼を受けた。中高年サラリーマンを主たる顧客層としている媒体だから読者に喧嘩を売るようなものだけれど、それで構わないと記者は言う。団塊世代までは定年まで勤め上げて、満額の退職金を受け取り、老後は悠々自適という生活設計もあてにできたが、現役世代はもうそんなに甘い夢は見られない。

コロナで消滅の危機に瀕している業界もある。就業形態もずいぶん変わった。ＡＩの普及による雇用消失も間近に迫っている。人口減による社会の変化についても予測が立たない。

この先、50歳を過ぎて失職した場合、簡単に再就職先は見つからないだろう。でも、彼らはそのような現実から目を逸らし、「対処の手がないまま立ち尽くし、思考が停止し、フリーズしてしまっている」というのが寄稿を依頼してきた記者の診立てである。

これをフランス語では「駝鳥の政治（la politique de l'autruche）」と呼ぶ。危機に際して、頭を砂の中に突っ込んで現実逃避をすることである。

リアルな危機として、私たちの前には気候変動、パンデミック、人口減、ＡＩによる雇用消失、地政学的危機……といくつものリスク・ファクターがひしめいている。

悲惨すぎて話題に上らないことの一つに「気候変動による国土消滅」の予測がある。温暖化を止められないと海面上昇によって２０５０年までに世界で12億人が生活拠点の移動を余儀なくされるとアメリカの外交専門誌『フォーリン・アフェアーズ・リポート（*Foreign Affairs Report*）』は２０２１年の秋に伝えていた。

小松左京の『日本沈没』の読みどころは、日本が沈没して国土が消失することが確実になった時に、世界各地にどうやって日本人の移民集団を受け入れてもらうか、離散した日本人たちはどうやって国民的アイデンティティーを維持するかという困難な課題に取り組む政治家や官僚の活躍にあった。このＳＦとあまり変わらない難問にすでに多くの国が直面している。

国内に標高の高い土地がある国は国内移動で済むだろう。だが、例えばバングラデシュのような低地国には逃げる高地がない。この1億７０００万人はどこへ行けばいいのか。難民として世界に離散した場合、どうやって国民としての一体感を維持するのか。国土が水没した国は国連加盟国でいられるのか。外交条約を締結できるのか。貨幣は有効なのか。税金は徴収できるのか。パスポートは発行できるのか……。たぶん、そんなことはまだ考えたくないだろうが、いずれ考えざるを得なくなる。

海面上昇が進めば、遠からずグローバルなスケールでの人口移動が起きることは避けられない。この人たちは基本的に難民である。「本国では生きていけない人たち」である。この人たちを受け入れることは人道上の必須である。鼻先でドアを閉じることは人間には許されない。

だから、私たちはいずれにせよ、多様な出自の人たち、言語も宗教も生活習慣も異にする人たちと日本列島で共生してゆかなければならない。これを避けることはできない。しかし、今の日本には「移民政策」と呼べるようなものはない。何もない。ゼロ、である。外国人技能実習生や入管制度を徴する限り、今の日本政府には「多民族共生」に備える意志も能力も認めることができない。

理解も共感も絶した他者を受け入れ、彼らと共生するためには、日本人の側にもそれなりの市民的成熟が必要である。けれども、現代日本人はそのような成熟度に達していないし、成熟を果たさなければならないという社会的合意さえ存在しない。

日本人はいつまでこの「駝鳥の政治」を続けるつもりなのだろうか。砂に頭を突っ込んでいても、現実の切迫を止めることはできないのだが。


（2022年1月26日）

第二章
世界はこれからどうなるのか？

狂人理論

中国が台湾に侵攻した場合、米国は軍事的に関与するかどうかという記者の質問にバイデン大統領が「イエス」と発言したことが波紋を呼んだ。これまで米政府は台湾については「戦略的曖昧さ」を維持し、中国による台湾への軍事侵攻があった場合に米国が軍事的に関与するかどうかを明らかにしてこなかった。実際、米国内では「台湾が侵攻されても関与すべきではない」という声は少なくない。

政府が外交政策について意図的に曖昧なことを述べて、未来予測を困難にする政策のことを「戦略的曖昧さ」と呼ぶ。合理的で首尾一貫した言動をする政治指導者については次にどのような行動をするかが推測できる。だから、交渉相手の国を「不安にする」ということはない。でも、「何をするかわからない人」だと思われると、その恐怖と不安によって外交的な「ディール」の手札が増える。その極端なかたちが「マッドマン・セオリー」である。

ベトナム戦争末期にリチャード・ニクソン大統領について「精神的に不安定だ」という噂が流れた。核攻撃の決定を下せる人物が「何をするかわからない」と思わせることによって、ソ連と北ベトナムを牽制しようとしたのだとニクソンは後年になって弁明したが、あまりそういうことはしない方がいいと思う。

プーチン露大統領は「何をするかわからない人間」であると思わせることによってこれまで効果的な外交を展開してきた。バイデン大統領がその成功事例に倣って、「オレだって何をするかわからない人間だぞ」と脅しをかけたというのが今回の「意図的失言」ではないかと私は思っている。

でも、もう一度言うが、あまりそういうことはしない方がいいと思う。一度でも口に出した未来は、一度も口にしなかった未来より実現する可能性が高いからである。

（2022年5月27日）

地方分散か都市一極集中か

韓国の地方移住者たちの団体が凱風館を訪れた。人口減社会における地方の生き残りについて話を聞きたいという。韓国は合計特殊出生率0・78（2022年）という超少子化に加えて、全人口の半分（50・7％）がソウル周辺に住むという人口一極集中が進行している。地方では人口減のせいで経済活動が低迷し、学校や病院の統廃合が始まっている。でも、韓国政府は効果的な対策を講じていない。

その逆風の中で、直感に導かれて地方移住という生き方を選択した人たちが韓国にはいる。自分たちの選択にはどのような歴史的必然性や道理があるのか、それを知りたいと、遠く日本までやってきたのである。

奈良県東吉野村に移住して、そこに私設図書館を開いて、地方からの文化発信の拠点作りをめざしている青木真兵君と、兵庫県神河町に移住して、江戸時代から続く茶園を継承した野村俊介君を招いて、二人に自分たちの実践についてそれぞれ報告してもらった。その後、私が「地方移住の歴史的意義」について一般論をお話しした。

人口減はもう止まらない。地球環境がこれ以上の人口増負荷に耐えられない以上、これは一つの文明史的必然である。でも、選択肢は二つある。資源の地方分散か、都市への一極集中か、いずれかである。

資本主義の延命のためには後者しかない。地方を過疎化し、都市を過密化すれば、しばらくの間資本主義は生き残ることができる。19世紀英国で行われた「囲い込み」を、人口減局面で行うという離れ業である。成功するかどうか誰も知らない。前例がないのだから。

でも、資本主義がそれを要請する限り、現代の経済システムから受益している人たちは黙ってそれに従うだろう。あなたたちはそれに抗う人たちである。だから、政官財もメディアも誰もあなたたちの活動を支援してくれない。でも、あなたたちは闘うべきだという話をした。

人口減と高齢化が進む韓国の地方では、行政、医療、教育の統廃合が進み、それが過疎化を加速させている。病院がなくなれば、基礎疾患のある人や高齢者を抱える家族は暮らせない。学校がなくなれば、学齢期の子どもを抱える家族は暮らせない。「過疎地の住民には行政コストはかけられない。まともな市民生活が送りたければ都市部に引っ越せばいい」というロジックを行政側が操り、メディアがそれに唱和するのは、日韓同じである。

けれども、医療や教育は本来弱者のための制度である。疾病や障害のある人のために医療はあり、生活できるだけの知識や技術をまだ会得していない人のために教育はある。そして行政ももともとは弱者のための制度のはずである。標準的な成員ではなく、最も弱い成員が自尊感情を維持し快適に生きて行けるように配慮するために行政は存在するはずである。

権力者や富裕者は行政サービスなんか別に必要としていない。彼らはむしろ彼らの旺盛な活動に干渉しない「夜警国家」を望ましいものだと思っている。彼らの権利と富を守る以上の業務を彼らは国家には期待していない。米国のリバタリアンたち、そのさらに過激化した「新反動主義者たち」は堂々とそう主張している。彼らに言わせると、福祉制度は富を富者から貧者に移転させることであり、財産権の侵害であるからただちに廃止されなければならない。「強者は行政の支援など必要としない。行政の支援がなければ生きていけないのは、弱い個体であるから、淘汰されて然るべきだ」という極論である。

地方の過疎化がまず行政・医療・教育の空洞化から始まるのは、（いくぶんか希釈されているけれど）この極論と本質的には同じ考え方をしているからである。

「弱者支援に公金を投じるべきではない。生き残るのは強者だけでよい」という考え方に現代日本人の多くは親和的である。社会的弱者たち自身の多くが「弱者には何も与えなくてよい」という優生学的極論にぼんやりと同意している。「洗脳」の成果という他ない。

地方移住者たちはその趨勢に抗って「人間性を守るための闘い」を闘っている。社会制度は弱者をデフォルトにして設計されなければならない。なぜ私たちの先祖は「強いものだけが生き残る」のではなく、「弱いものも生き残れる」ように集団を創り上げたのか、その原点の問いに立ち戻らなければならない。韓国からの来訪者たちにそう申し上げた。

（2022年5月18日）

何を考えているかわからない政治家

本を作るために、姜尚中（カンサンジュン）さんと定期的に対談をしている。先日はウクライナ危機と北朝鮮のミサイル発射のことが話題になった。

ロシアと北朝鮮は何か明確な意図を持って行動しているのだろうか。よく分からないという点で二人の意見は一致した。この二つの独裁国家では（中国もそうだが）政策決定プロセスが開示されないので、いったいどういう党内議論や合意形成を経て、「こんなこと」をするに至ったのかその文脈が外からは見えない。そして、その不透明性が一種の政治的武器にもなっている。

「政治的意図を不明にすること自体が目的の行動」というものがあり得る。ソ連時代から、かの国の為政者たちは自分たちの動機を隠し、国際社会にその意図を推測させて、疑心暗鬼に陥れて、可能な限り政治的混乱を醸成するという「戦略的曖昧さ」の創出にたいへん熱心であり、その技術に長けてもいた。おそらく北朝鮮の独裁者もこの「ソ連流」を先代から口伝されたのだと思う。

たしかにその行動が合理的でそれゆえ予見可能な指導者よりも「何を考えているかわか

らない」政治指導者の方が「怖い」。バラク・オバマよりドナルド・トランプの方が怖いし、文在寅より金正恩の方が怖い。

手持ちの実力だけでは政敵や他国を「怖がらせる」のに足りないと思う政治指導者はしばしば「戦略的曖昧さ」の使い手になる。

人から「知性的で合理的な人間」だと思われたい政治家は、政策の一貫性を配慮し、国益を損なうような政策を採らない。だから、周りの人間から敬意を持たれたり、信頼されたりすることはあるが、恐怖されることはない。一方で、自分を実力以上に見せようとする政治家は、国民を道連れにして自滅することさえ辞さない「何を考えているかわからない政治家」に見えるように自己演出する。周りから敬愛されることはないが、周りをコントロールすることはできる。

この趨勢はもうとどめることが難しくなっている。日本の政治家たちもいずれこの成功事例に学ぶようになるだろう。気鬱な話ですね、と姜さんとため息をついた。

（2022年2月9日）

ウクライナ映画をまとめて観る

ロシアのウクライナ侵略についていろいろな人から意見を求められる。門外漢だから語るべき知見は持ち合わせていない。しかし、近しい人に訊かれたら何か言わなければならない。

とりあえずウクライナ映画（およびウクライナを舞台にした映画）を6本観た。ある国の人々が「自分たちを何ものだと思っているか」を知るためには彼らが繰り返し語る原型的説話に当たるのが捷径（しょうけい）であるというのは私の経験的確信である。

ランダムに選んだ6本のうち3本が「ロシア（ソ連）との戦争」の映画、2本がスターリン時代のウクライナ飢饉（ホロドモール）とカニバリズムのトラウマを描いた映画、1本がソ連崩壊後のウクライナの道義的堕落を伏線にした映画だった。戦争映画はどれも「ロシア（ソ連）が侵略してきたので、市民が銃を執って祖国を英雄的に防衛する」話だった。これらの映画がどこまで歴史的事実を正確に映し出しているのか私にはわからない。当然かなり加工されているだろう。

だが、ウクライナの人々がこのような物語を繰り返し服用することによって国民的アイデンティティーを基礎づけてきたのだとすれば、ウクライナ国民の「セルフイメージ」を知るためには、映画は有用な第一次資料になる。

映画を観て思ったが、今回のプーチンの侵略について、多くの国民は強い既視感を覚えたはずである。だって、「また映画と同じことが起きた」のだから。そして、「映画の登場人物たちはこのような状況でどう行動したか」を参照しつつ、それを再演するにせよ変奏するにせよ、自分の次の行動を決定したはずである。

興味深かったのは戦争を描いた映画が必ずしも「ウクライナの英雄的愛国者対鬼畜ロシア・親露派」という単純な善悪二元論ではなかったことである。ウクライナ兵同士でも銃を執った動機が違い、あるべき国の理想像が違い、歴史解釈が違い、議論し、罵り合う。一方、ロシア兵や親露派にも必ず侵略の大義名分や個人的な厭戦気分を語る機会を与えている。敵味方のさまざまな視点を提示して、観客に「誰に理があるか、あとは自分で考えてくれ」と差し出すというタイプの戦争映画だった。

これは完成度の高いエンターテインメントを作るためには必須の手続きである。こちらに「グッドガイ」あちらに「バッドガイ」を配した、単なる勧善懲悪のストーリーであれば、観客はそのうちに食傷する。エンターテインメントを興行的に成功させるためには、登場人物に厚みを持たせることが必須である。彼らが単なる「記号」ではなく、人間的な奥行きを持っているのでなければならない。全員がそれぞれに勇気や善意を持ち、また卑しい利己心や欲望や臆病さに侵されている。そういう人たちが、たまたまある時、ある場所で、思いもかけない出来事に遭遇して、思いもかけない役割を果たす……という「運命の不思議」を感じさせない限り、映画的感動は得られない。私たちの現実は現にそのように編み上げられているからだ。

これらの映画を観て、ウクライナの人々がこれまでずいぶん苦労してきたこと、その経験によってある種の政治的成熟を遂げたということだけは私にもわかった。

（2022年3月3日）

再帰する幽霊

二日続けてウクライナ情勢についてインタビューを受けた。私のような門外漢に話を聞きに来るのは、私が素人の強みで戦争の先行きを平気で予測するからだろう。政治学者はうかつに未来予測はしない。政治はわずかな入力差が劇的な出力差として発現する複雑系であるから、「一寸先は暗闇」である。何が起きるか、ほんとうにわからない。だから、誠実な学者であれば未来については「強い関心を以て見守る」という以上のことは言わない。それが職業的節度というものである。

でも、私自身は学者ではない。私はただ個人的に今起きている出来事の意味を理解したいと思っている市井の一私人である。何をしても咎められない。

私が出来事を理解するためにするのは、過去・現在・未来を結ぶ一筋の「文脈」を取り出すことである。出来事を一続きの「物語」として解釈するのである。「物語」なら、いくつかの既知のパターンに収斂（しゅうれん）して、複雑系的な離散はしない。

この作業で有用なのは体系的な知識よりもむしろ非体系的な連想である。「もしかして、『これ』って『あれ』かな？」という「執拗に再帰するもの」に気づくことである。

マルクスは『ルイ・ボナパルトのブリュメール18日』で、まったく新しい状況を作り出していると信じている時に人間はしばしば「過去の亡霊」を呼び出し、「その由緒ある扮装や借り物の言葉で、新しい世界史の場面を演じる」と書いている。

私はマルクスの洞察に一票を投じる。強い既視感を与える状況は人を政治的に熱狂させる。これは私の経験的確信である。だから「新しい」政治的状況においても「執拗に回帰するもの」、「どこかで聴いた覚えのある言葉」を私は探すようにしている。

ウクライナ戦争は「古い物語」の何度目かの再演である。だから最も使い込まれた衣装を身に着け、最も知られた「決めの台詞」を語る者が戦況の帰趨を決するはずである。私はそれを「強い関心を以て見守っている」。

（2022年5月18日）

新しい政治単位の登場

6月23日、ロシアの民間軍事会社ワグネル・グループを率いるエフゲニー・プリゴジンは軍幹部の解任を求めて武装蜂起を宣言し、配下の傭兵たちにモスクワ進軍を命じた。翌日にベラルーシのルカシェンコ大統領の仲介で撤退を開始、プリゴジンはベラルーシへ亡命し、内戦には至らなかった。まことに奇怪な事件だった。

ワグネルの行動を制御できなかったことはプーチン大統領の威信を深く傷つけた。モスクワのガバナンスはあきらかに低下している。プリゴジンはいずれプーチンの刺客によって暗殺されて姿を消すだろうけれども、２０１４年以来ウクライナ東部戦線を支え、中東、中南米、アフリカでのロシアの権益のために非公式の軍事活動や反ロシア的な要人暗殺を請け負ってきた傭兵たちの仕事はこれから誰が担うことになるのだろうか。

傭兵が抜ければ、ウクライナ東部戦線でのロシア軍の力は弱まる。結果次第では、この事件を後世の史家は「ウクライナ戦争の決定的な転換点であり、かつプーチン独裁の終わりを告げる弔鐘」と総括することになるかもしれない。しばらくはロシア情勢から目が離せない。

ただ、プリゴジンが暗殺されても、ワグネルが解体されても、ロシア政府のための軍事活動や暗殺やハッキングを請け負う非国家的アクターに対するニーズはこれからもなくならないだろう。

一民間軍事会社の軍事的・政治的な力が肥大化し、ついには一国の内政・外交にまで容喙するようになったというのは歴史上はじめてのことである。

似たような前例ならないわけではない。イギリスの東インド会社はもともとアジア貿易のために始まった営利企業だったが、植民地経営を通じて準政府的な機関に変質し、常備軍を擁し、既成事実として条約締結権や交戦権まで持つ存在になった。19世紀半ばにイギリス東インド会社は政府によって解散させられるが、それまで250年にわたって独自の存在感を示した。

このタイプの、どの国民国家にも帰属せず、むしろ各国政府を利用することで集団固有の目的達成をめざす非国家アクターがこれから先、国際政治のキープレイヤーとして続々と登場してくるような気がする。

すでにアップル、アマゾン、グーグル、マイクロソフトといった多国籍産業は、人件費の安い国で製造し、租税回避地に利益を集め、「祖国」の同胞のために雇用を創出することにも、「祖国」の国庫に税金を納めることにも特段のインセンティブを持っていない。

2010年にビル・ゲイツ、イーロン・マスク、マーク・ザッカーバーグら大富豪は数千億ドルを醵金(きょきん)して、気候変動、教育、貧困緩和、医学研究、社会正義にかかわるプロジェクトを起動させた。

彼らの個人資産は中規模国のGDPに匹敵する。ふつうの国が国家予算をまるごと投じても実現できないスケールのプロジェクトをこのグループは実現しようとしているのである。もちろん初発の動機は善意である。だが、彼らはそうやって国家の仕事を「代行」しようとしているのである。

政府に代わって戦争を代行し、暗殺やハッキングを代行し、さらには社会正義の実現までをも請け負う人たちが国際政治の枢要なプレイヤーになる時代が来たらしい。

（2023年6月29日）

中国における高齢者問題の解決法

『シン・中国人』（ちくま新書）を出したばかりの北京在住のジャーナリスト斎藤淳子さんが凱風館においでになった。最新中国事情を拝聴しているうちに時間を忘れた。

中国の生活者の肉声はなかなか日本には届かない。取材活動にきびしい制約が課されているし、市民も口が重い。どこで、誰に会って、何を話したのか、それを政府はすべて把握している（と市民は信じている）。実際に監視されていなくても、市民が「監視されているかも知れない」という不安を抱いている限り「パノプティコン（一望監視装置）」は効果的に機能する。

中国には社会的信用評価システムというものがある。政府がビッグデータを活用して、全国民の社会的信用（平たく言えば「体制への忠誠度」）を格付けしているのである。このスコアが低い人は「ホテルの予約がとれない」「列車のチケットがとれない」というような仕方で日常的にペナルティを受ける。反体制的傾向は日常生活で思い通りに物事が進まないというストレスで報復されるのである。

そんな悪魔的なシステムが実在するのか、実は半信半疑だったが、斎藤さんはあっさり

「ありますよ。スコアが低い人は海外には出られません」と頷いた。

私が訊きたかったもう一つは、一人っ子政策の帰結である。数千万人の天涯孤独の老人たちのために政府は社会福祉制度を整備する気があるのかということだった。高齢者対策のために巨額の福祉予算を投じれば、その分軍事予算は減る。それは中国の「戦狼外交」に抑制的な影響を及ぼすはずである。

斎藤さんが教えてくれたのは、中国メディアではこのところ「高齢者の安楽死」を肯定的に語る論者が増えてきたという話であった。なるほど「高齢者が集団自決すれば問題解決」というのはそれほど独創的なアイディアではなかったのである。

（2023年2月10日）

箱根の温泉で感じた中国のリアル

過日の城崎（きのさき）に続いて、箱根に旧友たちと湯治に出かけた。箱根湯本はコロナ前のにぎわいを取り戻し、旅館も一時は「閑古鳥が鳴いている」状態だったがほぼ旧に復し、従業員数もコロナの間は半減していたが、またもとに戻った。

宿泊客の半分以上が外国からのお客さんだった。浴衣の帯をとんでもない結び方をした人たちがお箸で器用に和食を食べている。中国からの人はだいたい見ればわかる。日本人と外見は変わらないが、どこか違う。何と言うか「昂然と頭をもたげている」感じがする。規則だから（納得ゆかないけれど）従うとか、傍らの人が嫌な顔をしているから遠慮するとか、そういう「調整」にはあまり気を使わないようである。そういうのが中国人気質なのだろう。

少し前に凱風館も20人ほど中国からのお客さんを迎えた。引率された毛丹青先生に「この人たち、どういう方なんですか？」と訊いたら、「ビジネスで成功して、もう働く必要がなくなったので悠々自適の生活をしている人たち」だと教えられた。年代は30代から50代。アメリカなら、フロリダに屋敷を買って、ゴルフをしたりセーリングをしたり毎晩パーティをしたりして過ごすのが定番だけれど、中国の富豪たちは一味違っていて、彼らの間では今哲学や宗教に対する関心が高まっているのだそうである。それを求めて訪日したのである。

たしかに、物質的な欲望が充足されたあとに「精神的な飢餓感」を覚えるということは理解できる。なにしろ中国では文化大革命で清朝以来の伝統的な施設はほとんど解体され、その後は北京五輪と上海万博で「古い中国」の痕跡はほとんど消え去ってしまったからである（北京の伝統的な胡同（フートン）もその時に壊された）。今の中国人が「古い中国」への郷愁が兆した時にどこに行けばよいのか。

そういわれてみると、日本には「古い中国」が残っている。宋や明や清の時代のものが日本列島に伝来して、いろいろなかたちで、そのままアーカイブされている。「古い中国」を見たければ日本に行けばいいという話になって不思議はない。

凱風館には特に「古い中国」を想起させるようなものはないけれど、神棚があり、正面には開祖植芝盛平先生の写真が飾ってあり、植芝吉祥丸二代道主が揮毫された「合氣」と多田宏先生の「風雲自在」の扁額がかかっている。道場の畳に座っていると、東アジア的な静けさはたしかに感じることができると思う。「凱風館に来る前はどちらに行ってらしたんですか？」と毛先生にうかがったら、高野山で真言密教についてレクチャーを受けてきたそうである。

箱根でも、中国からのお客さんたちはずいぶんリラックスしていた。だって、部屋の床の間にはときどき漢詩の掛け軸や南宋画が掛かっているのである（私たちの定宿はロビーの壁に中国の馬だけを描いた巨大な画布がかかっている）。それを見た時の彼らの安堵はいかばかりであろうか。もし、私たちがアジアのどこかの国に旅した時に、ホテルのロビーに芭蕉の句や西行の歌が達筆で書かれている扁額を見出したら、ずいぶんほっとするはずである。そう考えると、中国のお客さんたちの気分にもいくぶんかは想像が及ぶ。

（２０２３年９月１日）

南北を架橋するハックルベリー・フィン

アメリカ論を書いている。ほんとうなら学術的な歴史研究を踏まえて書くべきなのだが、おおかた個人的記憶に頼っている。小さい頃からアメリカのドラマや映画を観て、音楽を聴き、小説を読んで育ってきた。記憶の中ではアメリカ関連情報が圧倒的スペースを占めている。この個人的記憶を活用しない手はない。

昨日はマーク・トウェインについて書いた。マーク・トウェインは「アメリカ文学の父」と呼ばれている。どうしてホーソーンやポウやメルヴィルではなくて彼なのか。ヘミングウェイは『ハックルベリー・フィンの冒険』を「すべての現代アメリカ文学の源泉。われわれが有している最良の一冊」と評した。どうしてここまで絶賛されるのか。

『ハックルベリー・フィンの冒険』が出版されたのは1885年。南北戦争が終わって20年後である。この小説の最大の文学史的意義は「南北戦争後に、南部人も北部人も心理的抵抗なく読めた最初の物語」だったことにあるのではないかというのが私の仮説である。

ハックルベリー・フィンの物語の時代は、南北戦争が始まる前である。その時に、ハックは逃亡奴隷のジムと筏でミシシッピを下る。まだ奴隷制が「合法」である時代だから、逃亡幇助は重罪である。ハックは「罪を犯している」という内心の呵責（かしゃく）に苛まれながら、ジムの豊かな人間性に惹かれて、非合法の旅を続ける。

旅するハックはその純粋な目で南部の現実を、その醜悪さも非道さも美しさも豊かさもまるごと写生する。ハックは無一物の浮浪者であるが（トム・ソーヤーとの冒険で盗賊の宝を手に入れたので）いっぱしの財産家である。きびしいしつけを受けながら野生児であることを止められない。「犯罪者」だけれど魂は誰より純良である。ハックルベリー・フィンは「葛藤の人」、どっちつかずの人なのである。そんな根源的な葛藤を抱えたまま成長するハックの内にマーク・トウェインは南北の和解の（か細い）道筋とアメリカ人の理想を見た。そういうことではないのかと思う。

（2022年11月4日）

スピルバーグの『ウエスト・サイド・ストーリー』を観てきた

スティーヴン・スピルバーグ監督の『ウエスト・サイド・ストーリー』を観てきた。60年前、12歳で観た時と同じレベルの感動をリメイク作品に求めるのは酷だとわかっているけれども、あらゆる場面をどうしてもオリジナルと比べてしまう。

設定はずいぶん書き換えられている。プエルトリコからの移民である「シャークス」周りの人々はアメリカ社会にそれなりに適応して、社会的向上をめざしているが、東欧系移民の子孫である「ジェッツ」は先行きのない絶望的なプアホワイトである。シャークスは下層ではあれ労働者として描かれるが、ジェッツには働いている人間が一人も出てこない。「アメリカ」の歌詞を信じるなら、プエルトリカンの半数（女性全員）はマンハッタンの生活を愛しているが、「ジェッツ」にとってアメリカはもう希望のない国になっている。その絶望が彼らを暴力に駆り立てる。

オリジナルでは線の細い二枚目（リチャード・ベイマー）だったトニーをアンセル・エルゴートが「ガタイがやたら大きくて、切れると自制の効かない男」として演じる。リフより動きの切れがよく、ベルナルドより腕っぷしが強いトニーの微妙な自己過信が最後の悲劇を生み出すという設定はオリジナルよりも説得力がある。

マリア（レイチェル・ゼグラー）とアニータ（アリアナ・デボーズ）は歌唱力が卓越していて、「I have a love」の二人のデュエットの厚みと情感はオリジナルを上回っていた。

一番期待していたのは「クール」の群舞シーン。アイス（タッカー・スミス）やベイビー・ジョン（エリオット・フェルド）やアクション（トニー・モルデンテ）の鬼気迫るダンスをスピルバーグはどう再現するか楽しみにしていたのだが、これは正面からの勝負を避けた驚きの新解釈だった。

毀誉褒貶さまざまだろうけれど、私はこの名作をあえてリメイクしたスピルバーグの勇気に拍手を送る。

（2022年2月19日）

『シェーン』に見るアメリカの分断

大学の社会人向け講座でアメリカ映画について3回授業をすることになった。西部劇映画を3本見て、「アメリカの国民的分断」について論じるという計画である。選んだのは『シェーン』と『真昼の決闘』と『リバティ・バランスを射った男』。映画を素材にして、ホームステッド法、マッカーシズム、自由と平等について論じる。

まず『シェーン』を観た。そして、ハリウッド西部劇というのは「大したものだ」という素朴な感想を抱いた。『シェーン』を子どもの頃に観た時はただの「ガンマンもの」だとしか思わなかった（アラン・ラッドの早撃ちには目をみはり、ジョーイ少年の「シェーン、カムバック」には涙したけれど）。しかし、劫を経てから見直すと、底の深い映画であった。

ワイオミングに入植した農夫たちが、地元のカウボーイたちと対立し、その非道と戦うという対立に流れ者のガンマンが絡み、最後に彼が農夫たちのために悪者たちを倒して、一人立ち去るという、一見すると「勧善懲悪英雄譚」なのだが、実はそうでもないのである。

映画は1862年にリンカーンが制定した「ホームステッド法」という法律の歴史的意味を問うているからである。この法律は公有地に入植して、5年間農業を営んだ者には160エーカーの土地を無償で与えるという気前のいいものである。誰でも自営農になれるチャンスがあるというので、ヨーロッパから大量の移民が新大陸に流入した。アメリカの西部開拓があれほど短期間に成し遂げられたのは、この法律の成果である。

だが、新大陸の遮るものない大平原を自由に往来していたカウボーイたちにとって、ホームステッド法は悪夢のような法律であった。突然見知らぬ人々がやってきてそこここを「私の土地だ」と言い立てて、有刺鉄線を張り巡らせて、立ち入りを禁止したからである（有刺鉄線を張り巡らせることは農場に逗留することになったシェーンが最初に命じられた仕事であった）。ワイオミングの広々とした草原に打たれた杭と有刺鉄線はヴィジュアル的にはひどく醜悪である。

これはその少し前に英国で行われた「囲い込み」の米国版に他ならない。共有地を分割して私有地にすることによって土地の生産性を一気に向上させること。それは揺籃期にあったアメリカ資本主義からの強い要請であった。ヨーロッパから怒濤のように流れ込んで来て、宏大な土地を鉄条網で囲み、狭い農地にしがみつくホームステッダーたちはまさしく「資本主義の尖兵」だったのである。

カウボーイたちは宏大な土地を自由に往来するわりにはGDPの増大にはさっぱり貢献しない。だから、資本主義的には「お払い箱」にされる他ないのである。でも、彼らを撃ち殺すシェーンにしても、もとはと言えば、カウボーイと同じ「ノマド（遊行の民）」なのである。だから、彼はカウボーイたちを撃ち殺しながら、象徴的に自分自身を撃ち殺しているのである。

『シェーン』は資本主義的国策によって生業を失い、いるべき場所を失い、地平線の彼方に消えてゆくカウボーイたちに一掬の涙を注ぐ。よい映画である。

（2022年6月16日）

夢のバービーランド

評判の『Barbie』を観てきた。「評判の」と言っても、ネット上のことであって、まだ一般メディアではほとんど話題になっていない。バービー人形のあのバービーの話である。ファンタスティックな夢物語だと思う人がいると思う（私も予告編を見た時にはそう思った）。ところがこれが娯楽作品という外見とは裏腹に、実に鋭くアメリカのジェンダー構造を考察した作品であったのに驚いた。

時間の流れが止まった「バービーランド」で、住人たちはおのれの万古不易（ばんこふえき）のジェンダー・ロールのうちに安らいでいた。しかし、ある日、一人のバービーのうちに危機の徴候が現れる。バービーランドの平穏を取り戻すために、バービーは「リアルワールド」に旅立つ。だが、旅のお供についてきたボーイフレンド人形のケンは現実社会の男性支配にすっかり魅了されて、バービーランドにも男性支配を持ち込もうと思いつく。一方のバービーは出会った少女たちから「あんたが性役割を固定化したせいで、フェミニズムが50年遅れたのよ。このファシスト！」と罵倒されて、すっかり落ち込んでしまう。

さて、バービーはどうやって彼女のアイデンティティー危機を乗り越え、彼女の留守中に男性支配体制に変貌した「ケンダム（元バービーランド）」での女性の地位を回復できるか……考えるとたいへんな難問である。

女性たちが最大限の自由を享受できている夢のバービーランドは、実は現実世界での男性支配のバランサーとして機能していたのである。女の子たちがピンクの夢と戯れている限り、男たちはタフな現実を支配できる。

観終わった時私たちは、人が「夢」だと思っているものが「現実」をあらしめ、「現実」だと思い込んでいるものも実は一場の「夢」に過ぎないという深い知見へと導かれる。なんと、すごく哲学的な映画だった。

（2023年8月15日）

ＣｈａｔＧＰＴ登場

ＣｈａｔＧＰＴをご存じだろうか。２０２２年の11月に公開された「チャットボット」である。「チャットボット」というのは「こういう入力に対してはこういう出力をするとユーザーが満足する」事例の膨大なデータに基づいて、ユーザーが期待する応答を出力する仕掛けである（理屈は何となくわかる気がする）。

この先駆モデルは60年ほど前に発明されたセラピストボット「イライザ」である。イライザの話なら私も聞いたことがある。イライザは人間の思考や感情について何も情報も持たず、ただ患者の愁訴を反復したり、キーワードに関連する質問をしたりするだけだった（「つらいんです」と打ち込むと「つらいんですね」と応じるような）。だが、イライザと面談者はしばしば驚くほど人間らしい対話を行い、それで症状が緩解することもあったそうである。

ＣｈａｔＧＰＴはいくつかのキーワードを与えると「それらしい文章」を作成する機能を持っている。それが何を意味するのかが実はまだよくわかっていない。その混乱ぶりはウィキペディアで当該項目を検索するとわかる。このチャットボットがほんとうは何ものであり、何ができるのかについての書き込みが多すぎて収拾がつかなくなっているのである。

２０２３年1月にスタンフォード大学で行われた期末試験では学生の17％がこれを使ってレポートを書いていた。この椿事を報道したスタンフォード大学の学内誌は早速「本誌のために、ＣｈａｔＧＰＴに本学の倫理コードについての論説」を求めた。ＣｈａｔＧＰＴはリクエストに応じて「この大評判の人工知能は学術的誠実さをめぐる論争をキャンパスに巻き起こした」から始まる文章を打ち出し、「ＣｈａｔＧＰＴはすぐれた学習支援者なのか、それとも恥ずべき詐欺師なのか？」という本質的な問いを読者に突きつけて論説を終えたそうである。すごい。

（２０２３年４月20日）

第三章
日本救国論

目利きが必要だ

マーケティングの用語に「アーリーアダプター（early adopter）」というものがある。「早期導入者」「灯台顧客（lighthouse consumer）」とも言う。新しい商品やサービスにいちはやく反応して、市場の先行きを照らして、追随する消費行動を指南するのでそう呼ばれる。「なんかすごいものが出てきたぞ」という彼らの浮き立つような高揚感が他の消費者に感染して、消費行動を先導し、結果的にイノベーターたちの先端的な企てに推力を与える。だから「アーリーアダプター」が安定的に供給される社会では連続的にイノベーションが起きる。

これに類したものは昔からあったのではないかと思う。「コネスール（connaisseur）」というフランス語がある。「目利き、通、鑑定家」という意味である。その人自身はクリエーターではないが、先端的な才能であり、創造的なものの出現にいちはやく反応して、「すごいものが出てきたぞ」とアナウンスすることはできる。そういう「目利き」が文化的生産力の土台になる。

古代から現代まで、どんな社会にも先端的な才能は必ず存在するし、そのパーセンテージもだいたい決まっている。クリエーターがゼロという集団も存在しないし、クリエーターが5パーセントを超えるような集団も存在しない。どんな集団にも創造的な才能は一定数必ず含まれている。でも、その天才が埋もれたまま終わることも（しばしば）ある。それは周囲に「目利き」がいなかったからである。

天才の作品に驚嘆し、人々の袖をつかんで「これを見ろ」と懇請し、その独創性が奈辺にあるかを説き、それをいかに玩味すべきかについて情理を尽くして語る篤志者なしには天才の仕事も単発のものに終わって、ついに「社会的事件」になることはない。

だから、社会の文化的創造力を高く保つためには、天才だけでなく、一定数の「目利き」が必須なのだ。

天才の発生率はだいたい決まっているが、「目利き」の発生率は決まっていない。これは歴史的条件の関数だからである。どういう歴史的条件か。それは「小銭があって、暇だけは腐るほどある人たち」がダマをなして存在しているという条件である。贅沢さえしなければ、生涯労働せずに徒食できるという身分の人たちが「目利き」とか「旦那」とかになる。そんな人間ばかりだったら、世の中は立ち行かないから、それほどたくさんいる必要はないし、いても困る。でも、一定数はいないと困る。

さいわい、18〜19世紀のヨーロッパには「ランティエ（rentier）」という階層が存在した。先祖の遺産があって、その利子で生涯徒食できる人たちである。『盗まれた手紙』のオーギュスト・デュパンも、『四つの署名』のシャーロック・ホームズも、『さかしま』のデ・ゼッサントも、『感情教育』のフレデリックも、みんなその類である。

たしかに彼らはGDPの増大にはほとんど貢献しなかったけれど、彼らの属する社会の文化的な豊かさをもたらすためにはずいぶん働いた。彼らの生き方が魅惑的だからこそ、現在に至るまで人々は彼らの「腐るほど暇がある人が何をするか」についての記録をむさぼり読むのだと思う。

（2023年6月8日）

歴史を遠目で見ること

現象学というのは「自分が経験できるのは世界の断片にすぎず、かつ主観的なバイアスがかかっているので、世界そのものではない」という無能の認知から出発して、世界を再獲得しようとする哲学的アプローチである。

現象学の唱道者であるエドムント・フッサールによれば、観察者一人では対象の一面しか見ることができない。例えば、一軒の家の前にいる時には家の前面しか見ることができない。しかし、この人は横に回り込めば「家の側面」が見え、裏に回れば「家の裏面」が見え、はしごをかけて屋根に上がれば「家の上面」が見え、床下に潜り込めば「家の下面」が見えるということを知っている。だからこそ「私は家の前面を見ている」と言い得るのである。それができるのは、家のまわりのあらゆる視点から同じ家を見ている「仮想的な私」を私の中に繰り込んでいるからである。この「仮想的な私」のことをフッサールは「他我」と名づけた。私たちはつねに「他我」との共同作業によって、共同主観的に世界を構成し、認識している。

というのが現象学の基本的なテーゼだけれど、私は別にそんな話をしたくて紙数を費やしているのではない。レヴィナスについての論文を書く過程で、フッサールの現象学がどういうものかを祖述しなければならなくなって、こりこり書いているうちに「『これ』って『あれ』じゃん」という関連性が見えたのである。

フッサールが現象学を体系化したのは、19世紀末から1920年代の終わり頃で、「大戦間期」にその哲学的事業の完成を見た。さまざまな視点から見られた世界経験をこつこつと加算してゆけば、対象の全貌に漸近線的に接近できるというこのアイディアは、その時代にはかなり広く共有されていたのではないかという気がしたのである。

ピカソやブラックのキュビズムはまさにそのアイディアの実践だったように思われるからである。複数の視点から見える対象像を同一のタブローに描き込むという彼らの破格な画法は「他我たちの視点からの世界経験を総合することで対象を全的に把持する」という野心において現象学と変わらない。

『戦艦ポチョムキン』で知られる同時代の映画作家エイゼンシュテインの「モンタージュ理論」も発想はよく似ている。複数のカメラアイから連続的にある場面を撮影するというあの手法も「共同主観的に世界を獲得する」という野心に駆動されていたのではあるまいか。時代は少し下るけれども、ジャン＝ポール・サルトルの長編小説『自由への道』も複数の語り手が同一の事件を別の視点から語ることで、歴史的状況を立体視しようとした作品である。ねらいにおいては、現象学ともキュビズムともモンタージュ理論とも通じるものがありそうだ。

そう考えたら、なるほど歴史も100年くらい経ってから遠目で見ると、それまでまったく無縁だと思っていたものが、実は同一の時代精神のさまざまな現れだということが分かる（ことがある）。若い人はまだ歴史を遠い視点から見る習慣がない。だから、「そういうこと」をときどき教えてあげるのも年長者の仕事だと思って、贅言を弄するのである。

（2022年8月29日）

学費を無償化したら

今、国公立大学の初年度納入金は80万円を超える。それだけの貯金を持っている高校生はまずいないだろう。だから、「金主」たる親に出してもらうしかない。多くの親はそれを「教育投資」ととらえるだろう。投資であるなら短期かつ確実に回収したい。いきおい親は「実学」志向になる。「投資家」は哲学や数学や天文学や考古学のような何の役に立つのか分からない学問領域は見向きもしない。それは人類的には有用な学問かも知れないけれど、「投資した金額が短期かつ確実に回収される」見込みが薄いからである。「教育投資」という言葉が流通するようになってから日本の学知の厚みが失われたのはそのような理由による。

だから、私は学術的生産力を復活させるためには、学費の無償化が必須だと考えるのである。学費がゼロなら受験生は「金主」に気がねすることなく、好きな学問領域を選択することができるからである。

私が若い頃、1960~70年代は国公立大学の学費は「ただ同然」だった。国立大学の学費は年額1万2000円、月額1000円であった。入学金4000円と半期授業料6000円、あわせて1万円で大学生になることができた。よい時代である。

1970年でも高校生は1万円くらいの貯金はあった。だから、親がいくら「実学」を勧めても、子どもは「美術をやりたい」とか「映画を撮りたい」とか「インド哲学をやりたい」とか、好きなことが言えた。親と意見が合わなければ最後は「じゃあ、いいよ。授業料は自分で払うから」と言うことができた。よい時代である。

だから、みんな好きなことを勉強した。おそらくあの時代に入学した学生たちが、その後の日本の学術的生産力を担ったはずである。

もう一度、大学生たちをあの時代に戻してあげたいと私は思っている。

いま、ある自治体で教育についての政策提言をするという仕事をしている。そこの県の県立大学を無償にすることを提案した。全寮制にして、寮費ももちろん無償である。一学年100人くらいだから、たいした財政負担にはならない。無償化すれば、家は貧しいが学問をしたいという向上心旺盛な若者と、自分の進路は誰にも指示されず自分で選びたいという不羈(ふき)の若者が大学に集まってくる(はずである)。多少扱いに手を焼くだろうが、賑やかなアカデミアになるはずである。この県立大学に全国から元気な若者たちが集まるようなら、他の自治体もそれに続くだろう。だとすれば、世の受験生たちすべてにとって朗報である。

（2023年1月20日）

フリーライダーよりオーバーアチーバーを

高齢者の集団自決が高齢化対策の秘策であると公言した若い経済学者の発言が話題を呼んでいる。

彼の言う「人間は引き際が重要だと思う」ということにも「過去の功績を使って居座り続ける人がいろいろなレイヤーで多すぎる」という事実の摘示(てきし)にも私は同意する。でも、使えないやつは有害無益だから、集団から追い出すべきだという論には同意しない。人道的な立場からというよりは組織人としての経験に基づいてそう思うのである。

組織に寄生して、何も価値を生み出さず、むしろ新しい活動の妨害をする「フリーライダー」はどのような集団にも一定数含まれる。この「無駄飯食い」の比率を下げることはたしかに集団のパフォーマンスを向上させることにある程度までは役立つだろう。ただし、「ある程度」までである。というのは「無駄飯食いの排除」作業に割く手間暇がある限度を超えると、その作業自体が集団のパフォーマンスを著しく低下させるからである。

組織を率いた経験がある人なら誰でもフリーライダーを一掃する秘策が存在しないことを知っている。そんな暇があったら、組織を活性化し、新しい価値を創出してくれる「オーバーアチーバー」を一人でも増やし、彼らが愉快に働ける環境を整備する方がはるかに費用対効果がよいということも知っている。

それに、若い方たちはご存じないだろうけれど、あらゆるパニック映画は「強者だけのグループを作って、自分たちだけ助かろうとする人たち」と「子どもや老人を一人も取り残さないために無理をする人たち」が対比されて、「自分たちだけが助かろうとする人たち」がまず死ぬという話型を繰り返している。「集団の中で最も弱いものをも取り残さず救える仕組みを作る」ためにどうすればいいのかについて深く思量することは(たとえそれが実現できなくとも)、集団を生き延びさせる上では有用だということを人類は早い段階で学んだのである。

(2023年1月16日)

鈴木邦男さんとの別れ

２０２３年1月11日に鈴木邦男さんが亡くなった。最後にお会いしたのは、２年前の２月に鈴木さんの戦いを記録したドキュメンタリー『愛国者に気をつけろ！　鈴木邦男』の上映の時だった。中村真夕監督を交えての鼎談企画のためだった。

鈴木さんはその時はもう車椅子でやって来ていて、笑顔と諧謔はいつもの通りだったけれど、言葉にはあまり力がなかった。映画館の前で鈴木さんの乗ったタクシーに手を振りながら、「もうお会いできないかも知れない」と思ったけれど、やはりそうなった。

鈴木さんと最初に会ったのは10年前、西宮で行われていた「鈴木邦男ゼミ」にゲストとして呼ばれた時だった。「あの鈴木邦男」にどう値踏みされるかすごく緊張した。でも、お会いしてみたら鈴木さんは温顔で迎えてくれた。対談も武道修行が話題の中心で、僕が恐れていたような政治的に剣呑な話題にはならなかった。

その時にすっかり意気投合して、以後鈴木さんとは定期的にお会いするようになった。その時の談話を素材にゼミの企画者だった鹿砦社の福本高大さんが対談集『慨世の遠吠え』を編集してくれた。

福島みずほさんの議員生活15周年記念パーティに招かれて行った時に、青山の会場で鈴木さんとばったり会った。僕も鈴木さんも会場に他に知り合いが見つからず、二人で会場の隅でビールを飲みながらぐだぐだおしゃべりをした。「今日のパーティに来ている右翼は僕一人だよ」と鈴木さんは笑っていた。

その時に『ある精肉店のはなし』を撮った映画監督の纐纈（はなぶさ）あやさんが僕たちを見つけて話しかけてきたので名刺交換をした。不良高校生二人が授業をさぼって体育館裏で煙草を吸っているところに、クラス委員の子が来て「あ、また、さぼって」と笑いながらにらみつけるような感じがして、鈴木さんも僕もなんだかあたふたと要領を得ない対応をしてしまった。あの時の鈴木さんの照れたような笑い顔が忘れられない。

ご冥福をお祈りします。

（2023年2月5日）

資本主義の終焉が先か人類の滅亡が先か

平川克美君が店主をしている隣町珈琲で『人新世の「資本論」』の斎藤幸平さんと対談した。話頭は転々としたが最後のテーマは「コモンの再生」だった。

コモン（common）の原義は「入会地・共有地」である。かつてヨーロッパの村落共同体では、森や草原を共有した。村人たちはそこで自由に家畜に草を食べさせたり、魚を釣ったり、果樹を採取したりすることができた。豊かなコモンを有する共同体に属していれば、たとえ私有財産が乏しくても、快適な生活が営めた。

イングランドで16世紀から19世紀にかけて行われた「囲い込み」というのは、このコモンをさまざまな名目で私有地化して、周りに柵をめぐらせて「立ち入り禁止」にしたことである。私有地化することによって土地の生産性を上げようとしたのである。

イングランドでは「囲い込み」は農業を廃して牧羊地にすることだった。毛織物が主要産業だったために、羊毛の需要が高かったからであるし、牧羊はわずかな労働力しか要しない（マルクスによれば農業従事者の１００分の１の人数で済んだ）。少ない労働力で、高い利益を上げることができるのであるから、土地の生産性は一気に向上した。その代わり、生業とコモンを失った農民たちには行き場がない。やむなくかつての自営農たちは賃労働者となって都市に集住して、「鉄鎖の他に失うものを持たないプロレタリアート」というものになって、資本主義はめでたくテイクオフを果たしたのである。そこまでは世界史で習った通りである。

それから2世紀経った。暴走する資本主義の終わりなき収奪によってグローバルサウスは荒廃し、地球環境は破壊され、貧富の格差は拡大した。資本主義の終焉が先か人類の滅亡が先か。たぶん人類の滅亡の方が先である。人間が自分たちで創り出したシステムによって、その生存を危うくされているのである。これを「疎外」と言わずに何と呼べばよろしいのか。

とりあえず、生き死にがかかったところまで人類は資本主義に追い詰められた。生き延びるためのオルタナティブとして提示されたものの一つが「コモンの再生」である。もう一度「共有地」を作り直すのである。そこに豊かな資源が備蓄され、共同体の成員たちがそこに自由にアクセスすることができるようにすれば、もう必死になって私財を退蔵する必要はなくなる。

もちろんポスト資本主義の世界のために共同体はどうあるべきかについてはさまざまな意見がある。あって当然である。「コモンの再生」はそのアイディアの一つである。でも、私はこれは適切なオルタナティブだと思う。何より「やろうと思ったら、すぐに始められる」点がすぐれている。

平川克美君の隣町珈琲は「共有地」をめざして作られたカフェである。壁にはみんなが持ち寄った数千冊の図書が並んでいる。コーヒー一杯でいくらでも読むことができる。カフェはまたさまざまな文化活動の拠点となっている。コンサートがあり、講座があり、今回の鼎談のようなイベントもある。

私は「みんなの家」である道場兼学塾として凱風館を建てた。そこは武道の道場であると同時に、ゼミ活動の拠点である。道場の畳を上げると能舞台になるので、能に限らずさまざまな伝統芸能（義太夫、浪曲、落語、パンソリ、オペラなど）の上演が行われている。斎藤幸平さんは最近共同で森を一つ買い、そこを文字通りの「コモン」にする事業を始めた。

私たちは別に示し合わせてそんな活動を始めたわけではない。人間が人間らしく暮らせる未来をめざす活動とは何かを考えた時に、「コモンを創り出す」というアイディアがまず浮かんだのである。おそらく、同じような試みが日本だけでなく、世界各地で自然発生的・同時多発的に起きているはずである。それが大きなうねりになった時に、世界はどうなるのか、それを見届けられるくらいは長生きがしたい。

（2023年2月17日）

生存確率の高い「品位のある人」

「品が良いとは悪いとは」という題の寄稿を求められた。

わかりきったことじゃないかと思ったが、あえてそのような論題が出されたのは編集者が「あの人、品が悪いなあ」というような感想を洩らしたときに、誰かに「あなたが品が良い／悪いを判断するときの基準とは何か。その基準に普遍性はあるのか」と切り立てられて答えに窮したというようなことがあったのかも知れないと思った。

果たして「品が良い／悪い」を判定する客観的な基準は存在するのだろうかとしばし考えたが、「存在する」という結論を得たのでその話をする。

「品が良い／悪い」という区分はおそらくすべての人間集団に存在しており、本質的には同一のものである。品の良し悪しは集団内部的なローカルな決まりごとではない。それは「外部から到来するもの」、われわれの理解も共感もした「他者」と向き合うときの作法のことだからである。

外部から到来するものに応接するときに最も大切なのは適切な距離をとることである。むやみに近づかない。「鬼神を敬して之を遠ざく、知と謂うべし」と『論語』にはある。

他者をうかつに命名したり、分類したり、格付けしたりしてはならない。他者を既知に還元する主体の暴力を自制すること、それが敬意である。そして、いかなるときも他者への敬意を忘れない人のことを私たちは「品の良い人」と呼ぶ。逆に、未知のものを「わかった気に」なり、平気で間合いを破って、他人の領分に踏み込み、自分のルールを押し付ける人を私たちは「品が悪い人」と呼ぶ。

おそらく発生的には「品位がある人」の方が生き延びる確率が高かったのだと思う。その経験知から「品位」を重んじる風儀は生まれたのだと私は思う。品位は他者の外部性に対する物静かな畏怖の念の上にかたちづくられるのである。

（2023年3月9日）

『スター・ウォーズ』と『姿三四郎』

若い人から時々「人生相談」メールが送られてくる。時間の許す限り回答するようにしている。先日、映画『スター・ウォーズ』と仏教思想の関係を自由研究の課題にしているという大学一年生からのお訊ねが届いた。『スター・ウォーズ』における師弟関係は日本の武道の師弟関係と通じるものだろうかという質問だった。私はこんなふうにお答えした。

ご存じだと思いますが、ジョージ・ルーカスは黒澤明監督の大ファンで、黒澤へのオマージュが随所にちりばめられています。『スター・ウォーズ』における中心的な師弟関係はルーク・スカイウォーカーとヨーダ、オビ＝ワン・ケノービとアナキン・スカイウォーカーの二組です。おそらく元ネタは黒澤の『姿三四郎』だと思います。矢野正五郎と姿三四郎の関係がルークとヨーダに、村井半助と檜垣源之助の関係がアナキンとオビ＝ワンに投影されています。

檜垣は天才的な柔術家ですので、「村井は師とするに足りない。もう師匠から学ぶものはない」と思っています。それに対して、三四郎は「矢野先生は卓越しており、自分が一生かけても師の域には及ばない」と思っています。これが二人の決定的な違いです。檜垣の自己評価はたぶん正確です。ほんとうに彼は強いんです。でも、そのせいでこれ以上成長をめざす意欲に微妙な抑制がかかる。一方の三四郎は、師は「自分よりも無限に強い」と思っているので、努力に限界がありません。どこまで強くなったらいいのか、わからない。結果的にこの開放性の差ゆえに、実力では上の檜垣に三四郎が勝ってしまう。そういう話です。

「師を決して届かない境位にあるものとして仰ぎ見る弟子は、師の実力を正確に見極めることができる弟子よりも『のびしろ』において勝る」というのが師弟関係についての日本の伝統的な考え方です。ジョージ・ルーカスはこれに共感したのではないかと思います。

そう返信したが、実は質問を読んでその場で思いついたのである。

（2022年3月22日）

日本マンガにおける師弟関係

トルコの大学で日本文化を教えている山本直輝さんから日本マンガ論が送られてきた。世界中にマンガの類は存在するが、なぜ日本の少年マンガだけが他を圧する人気を得ているのか、その理由を論じたものである。山本さんの仮説は「師弟関係が主題だから」というものであった。これには私も満腔（まんこう）の同意を表したい。

むろん西欧にも師弟関係をめぐる説話は存在する。だが、映画でもコミックでも、弟子が師から長い時間をかけて知恵や技能を教わるという修行プロセスには十分な紙数が割かれない。弟子は多くの場合、入門するやたちまち驚異的な能力を会得して、以後ヒーローとして活躍する。

映画『スター・ウォーズ』は師弟関係を扱った物語の代表作だが、師ヨーダの下で修行を始めたルークは未熟なまま「私用」（ハン・ソロ救出）のため修行を止めてしまう。でも、次作冒頭では堂々たるジェダイの騎士として登場する。いったいルークはいつのまに、どこで、誰に就いて修行を済ませたのか、それについての説明は何もなされない。「生まれつき高いフォースを備えていたから」でこの不整合は説明される。

最新作の主人公レイにはもう師がいない。むろん修行もしない。ルーク愛用のライトセイバーに触れた瞬間に、自分がほんとうは何者であるのかを知り、スター・ウォーズ史上最強のジェダイの騎士となる。

これはハリウッドのヒーロー映画の多くに共通する徴候的な話型である。「ほんとうの自分」を見出せば（修行をパスして）人は最強になり得る。この信念が欧米の説話の際立った特徴だと山本さんは指摘している。

翻って、日本マンガでは、主人公は師に就いての修行を通じて連続的に自己変容する。「ほんとうの自分」ではなく、修行を通じて「別人」になるのである。

このような非－西欧的説話に世界の読者が熱狂する理由を山本さんはこう説明する。

「日本の少年マンガは世界に残された唯一のビルドゥングスロマンなのである。そこにはアイデンティティー・ポリティクスもなければ、国民国家や政府の望む勝利の歴史もない。マンガは人間社会はどこまでも複雑であることを若者に教えようとしている」

まことにその通りだと思う。


（2023年3月23日）

膝を壊してわかったこと

私事にわたるが、長く酷使してきたせいで、膝が壊れた。数年間痛みに耐えて稽古してきたが、さすがに限界に達して、整形外科で診てもらったら、もう軟骨も半月板もすり減って使い物にならないと言われた。人工関節を入れることを勧められて、手術をすることになった。

「合気道は続けられますか？」と訊いたら医者には「努力次第です」と言われた。あるいは、これで私の武道家人生も終わるのかも知れない。

25歳からほぼ半世紀、休むことなく稽古してきた。偉大な師と優れた先輩に恵まれた、まことに愉快で充実した合気道家人生だったから、これで終わっても別に悔いはない。禅家が「大悟解脱」をめざすように、武道家は「天下無敵」という無限消失点をめざして修行する。もちろんほとんどの武道家はその境位のはるか手前で、未熟のまま生涯を終える。でも、生涯かけて修行したがついに目標に達しなかったというのは武道家にとっては恥ずかしいことでも、悔しいことでもない。「こんなことなら修行なんかしなければよかった」などと思う修行者はいない。修行というのはそういうものである。

修行というのは、京都行きの新幹線に乗って西へ向かうようなものである。ただし、誰も京都には決してたどり着けない。名古屋までたどり着いたところで息絶えても、三島で息絶えても、場合によっては品川で息絶えても、「人生を修行に捧げました」と誇りを持って言うことができる。全行程のどこまで行ったかということは、修行においては本質的なことではないのである。修行の道を歩き始めたということそれ自体が本質的なのである。

私は6歳の時に感染症に罹った。誤診のせいで手当が遅れ、大学病院に運び込まれた時に医師からは「余命わずか」と宣告された。さいわい抗生物質が効いて一命はとりとめたが、心臓弁膜に重い障害が残った。そのせいで中学生まで激しい運動を禁止された。そんな虚弱な身体が古希過ぎまで持ってくれたのである。「よく持ってくれた」と体に感謝するのがことの筋目である。6歳で死んだと思えば、後の人生は「ボーナスのようなもの」である。膝が壊れたくらいのことで自分の身体に不満を持ったら罰が当たる。

若い頃は身体虚弱であることを「不公平だ」と嘆いたこともあったが、逆にもし卓越した身体能力に恵まれて生まれていたら、今のわが身の老残に怒りや絶望を覚えていたかも知れない。私はさいわいそういう感情とは無縁である。世の中、どこかで帳尻は合うものだ。

（2023年4月4日）

自分の心と直感に従う勇気

ある時期から日本の大人たちは子どもに向かって「勇気を持て」ということを言わなくなった。昔は勇気と正直と親切は少年少女に求められた最優先の徳目であった。いつからそれが求められなくなったのだろうと考えていたら、「友情・努力・勝利」という『少年ジャンプ』のイデオロギーが支配的になった頃からではないかという仮説を思いついた。

ここには「勇気」が含まれていない。なぜ子どもに勇気は不要だということになったのか。

人が勇気を必要とするのは孤立に耐えるためである。「千万人といえども吾往かん」と『孟子』にはあるが、敵が「千万」ということは、この「吾」には友人も支援者もいないということを意味する。だとしたら、まずこのひとりぼっちの「吾」がいくら「努力」しても、「勝利」を手にすることはあり得ないだろう。友情とも勝利とも無縁の生き方を貫くこの「吾」のような人間は今の日本社会には居場所がない。

現代日本社会では、友情からすべてが始まると子どもたちは教えられる。周囲と理解と共感の輪をかたちづくることができる者だけが何かを始めることができる。誰とも友情を取り結ぶことのできない孤立した人間は、そもそも社会的存在として認知されないのである。

「何よりもまず友情」というのは「孤立してはならない」ということである。孤立に耐えられる人間、自分が正しいと信じるならば一人でも進むような人間にはなってはならないということである。

しかし、「ひとりになりたい」ということはそれほど許し難い非行なのであろうか。

スティーブ・ジョブズはかつてスタンフォード大学の卒業式で「最もたいせつなのは自

分の心と直感に従う勇気である」と語ったことがある。勇気が要るのは「自分の心と直感に従う」ことが困難だからである。多くの場合、自分の心と直感に従って生きようとする人は周囲に理解者や支援者を見出すことができない。みんなが「そんな生き方は止めろ」と言う。「そんなことしても食えないぞ」とか「そんな変なことをしている人間はどこにもいないぞ」と脅す。その圧力に抗って生きるためには勇気が要る。そして、そういう「勇気のある人」しか新しい価値を創造することができない。ジョブズは経験からそう言っている。その通りだと思う。

（2022年5月24日）

世界標準のものづくりの強度

子どもの日に門人の結婚式があり、兵庫県の山中に行ってきた。彼が経営する茶園の中で屋外での結婚式だった。コロナで長い間こういう集まりは自粛されていたが、久しぶりに行動制限のないGWだったので、数十人が笑顔で新緑の茶畑に集まった。

新郎は三十代なかばでサラリーマンを辞めて農業を始めた人である。聴いた時はずいぶん驚いたが、そういう「潮目」が来ていることは私にわかった。

２０１１年3月11日をきっかけに、当時二十代から三十代の若者たちが「都市から地方へ」集団的に移動を始めた。誰かが旗を振ったわけではないし、そういう「理論」が流行したわけでもない。同時多発的・自然発生的な動きだった。

それから10年経って、この「移住者」たちはそれぞれの仕方で地方に定着して、新しい生業と文化的な発信の拠点をたしかなものとしてきている。そのことを集まった人たちの話を聴いて実感した。

新婦は東京の一流企業を辞めて、７年間修行をしてからやはり兵庫県内でパン屋を始めた人である。数年先までオーダーが詰まっている「手に入りにくいパン」を焼いている。

会食の席で私の周りは全員が同じ師匠に就いて修行したあと全国に散らばったパン作りの方たちだった。「日本のパンはいま世界一なんです。ヨーロッパより10年先を行ってますから」と自分たちの仕事について実に誇らしげに語ってくれた。世界標準を自分たちが今ここで創り出している。だから、彼らの技術はどんな過疎地にいても生業として成立する。

私の友人のタルマーリーの渡邉格・麻里子夫妻も鳥取の過疎の集落でパンとビールを作

っているが日本中から注文が来る。
別に市場調査も広告もあざとい「仕掛け」も要らない。淡々と世界水準のものを作っていれば、それは必ず評価される。そういう力強い「ものづくり」の人たちの言葉を久しぶりに聴いた。

（２０２２年５月18日）

小さな声を聴き取ることの大切さ

私の道場を設計してくれた建築家の光嶋裕介君と彼の近刊『ここちよさの建築』（ＮＨＫ出版）をめぐって対談した。その時「建築家は非専門家が語る建築論にもうちょっと耳を貸して欲しい」ということを申し上げた。建築家は、建物の中で人間の声がどういうふうに通り、どういうふうに響くかについてほとんど考慮していないではないかと、非専門家の立場から苦言を呈した。最近いくつかの立派な建築物で、あまりに声の通りが悪い経験をしたからである。

以前、大学校舎の新築計画の時、建築事務所の方に「声はどうですか?」と訊いたことがあった。私の質問の意味がわからなかったらしく、「防音はちゃんとしています」という答えが返って来た。私が知りたかったのは、教室の中で、教師や学生のやりとりの声がどういうふうに聴こえるのかということだった。というのも、小さな声が聴き取れるかどうかは教育にとって死活的に重要だからである。

音響環境が悪くて、声が割れたり、残響がすると、小さな声は聴き取れない。すると、私たち教師はつい学生たちに向かって「大きな声で、はっきりと」発言することを求めてしまう。でも、その場で思いつかれた、生まれたばかりの星雲状のアイディアは決して「大きな声ではっきりと」は語ることができない。言い淀み、口ごもり、立ち止まり、前言撤回し……という言い方が許される環境でしか新しい言葉は生まれない。だから、知的生成の場では、かぼそい声、つぶやくような声であっても、それが聴き取れることが必須なのである。

教室でなくても話は同じだと思う。小さな声でも聴き取れる家に暮らす家族と大きな声ではっきり言わないと意思疎通ができない環境にいる家族では、時間が経つうちに関係がずいぶん変わってしまうだろう。建築家にはそこまで考えて欲しい。そんな話を光嶋君とした。

死に方上手

（2023年6月9日）

ある週刊誌から「ちゃんとした死に方」の特集を組むので、ご意見を伺いたいという取材があった。当今の男性週刊誌は読者層が70歳過ぎなので、飲んではいけない薬の話とか、遺言の書き方とか、認知症に罹ったらとかいう切実な話が多い。

想定読者は老人だが、記事を書いているのは若い記者なので、「ちゃんとした死に方」特集をすると決まっても、何を書いていいかわからない。そこで「死にかけている老人」に話を訊くことにしたのであろう。別に怒ってない。ほんとうにそうなんだから。

お若い方は実感がないと思うが、年を取ると病気になるというのは「適切な治療をすれば原状に回復する」一時的な失調ではなく、身体部位の一部がそのまま欠損し続けることを意味する。歯がなくなっても、眼が見えづらくなっても、臓器が壊れても、「元に戻る」ことはもうない。加齢がある点を超えると、人は「生きている」というより「まだ死んでない」という状態になるのである。それゆえ、機能不全になった自分の身体に慣れることの上手な人が楽に老後を生きられる。そういう人を「死に方上手」というふうに呼んでよいかと思う。

子どもが死ぬことを恐れるのは「死ぬ」というのがどういうことかまったく想像がつかないからである。老人は部分的に死んでいるので、「死ぬ」というのがどういうことか何となくわかる。死が「ちょっと隣の部屋へ行く」くらいの感じまでゆけば、もう「死に方達人」と呼んでよろしいであろう。逆に、「エバーグリーン」とか「生涯現役」とか言っていると、いざ死ぬ時になると「死に慣れていない」のでつらいことになるのではないかと思う。

そう考えると、「余生」というのはなかなか素敵な考え方だと思う。もうおおかた生き終わっていて、今は「おまけ」をのんびりと味わっているのである。

（2023年6月23日）

世界を一変させる出来事は思いがけず起こる

ある新聞の取材で2022年7月の参院選について訊かれた。「争点がない」「投票率が下がる」「野党が負ける」というのが大方のメディアの予想だったが、果たしてその通りになっただろうか。

私はこれからどうなるかについてはできるだけ具体的に予測をするようにしている。予測が外れた場合に、どういう情報を見落としたのか、どういう推論上のミスを犯したのかを自己点検できるからである。どうとでも解せる玉虫色の予測をしておいて、どういう結果になっても「私もこうなると思っていました」とごまかすと、世間体は守れても、本人の推理力の開発には資するところがない。それよりは確信がなくても、ずばずばと具体的な予測を述べた方がいい。「外れることを恐れない」というのは未来の未知性を前にして謙虚であるための一つの作法だと私は思っている。

2022年の年頭に「ロシアのウクライナ侵攻」を予測したロシア専門家がどれだけいただろう。何人かはいただろうが、「ウクライナの抵抗が100日以上続く」と予測した専門家は世界中探してもほとんどいなかっただろうと思う。世界の表情を一変させるような出来事はいつも「思いがけないところで、思いがけない仕方で」起きるものである。

問われたのを奇貨として、今度の参院選では「メディアの予測を覆すような異変が起きる」と私は予測した。自公連立政権にこのまま日本の未来を託して、この10年加速している日本システムの劣化と衰退がこのまま続くことをどれほどの有権者が望んでいるか。「よくわからないが、現状のままでも特に不満はない」と「よくわからないが、現状にはうんざりだ」の間にはそれほどの心理的段差はない。「現状肯定」だった人がわずかな風向きの変化で「現状否定」に転じる。そういう豹変を私はこれまで何度も見てきた。異変がいつ、どのようなかたちで起きるかは誰にも分からない。

(2022年6月23日)

参院選の歴史的意義

この原稿を書いているのは参院選投票日の2日前である。この原稿が衆目される時には選挙の結果は出ている。どうなっているのか。大手メディアは「自公は堅調」「争点作れず」という報道をつまらなそうに続けていて、「投票してもしなくても選挙前と何も変わらないだろう」という漠然とした無力感を有権者に刷り込んでいる。果たしてその通りなのだろうか。

私の周囲の人たちでこれまでも野党に投票してきた人たちは、今回は投票にとどまらず、ポスター貼りのボランティアに応募したり、街頭演説に行って声援を送ったりしていた。何とかしなければならない、このままでは日本はたいへんなことになるという切迫を感じているのだと思う。私もその切迫感を共有している。ただし、日本が直面しているのは、野党が政権をとれば「それで何とかなる」というほど簡単な問題ではない。パンデミック、気候変動、戦争、人口減、どれも一国の政策でどうこうなるような規模の問題ではない。トランスナショナルな協働体制で長期にわたって計画的に取り組むしか解決の道筋は見えない。しかし、これらの問題はどれも今回の選挙の喫緊の争点になっていない。それは現在の政権がこれらの問題を「たいした問題ではない」と高をくくっているのか、「手のつけようがないので、なかったことにしている」のか、あるいは「すでに問題解決に取り組んで成功しつつある」と楽観的な総括をしているのか、いずれかである。

どの場合でも、私はそのような政党にこれ以上政権の座にとどまっていて欲しくはない。野党にこの難問の解決能力があると私は思っていない。でも、「ここにたいへんシリアスな問題が存在する」ということは暗い顔をしながらでも認めてくれるはずである。そこからしか物事は始まらない。

（2022年7月8日）

参院選が終わって

今回の参院選で私は総計8人の候補者を応援した。立憲民主党、社民党、共産党、れいわ新選組の候補者たちである。決起集会まで応援にかけつけた候補者もいるし、SNSで繰り返し支援をお願いした人もいる。だから、比例代表の投票ではずいぶん迷った。結果的には応援した8人のうち5人が当選してくれて、少しほっとした。

開票速報が始まってすぐに新聞社から電話取材があった。与党の圧勝についてどう評価するか訊かれた。日本が直面しているほんとうに重要な課題はどれも今回の選挙の争点にはならなかった。おそらく問題が大き過ぎて日本一国の政府では対応できないからだろう。でも、一政府では対応できない難問だからという理由で対応を怠れば、事態はますます悪化するだけだ。
　政府に十分な問題解決能力がないことを私は責めない。問題が大き過ぎるのだから仕方がない。だが、その場合でも「すべての政策は成功している」と失政を糊塗してはならないと思う。現に多くの指標は、経済も教育も学術も報道も、日本が国際社会での地位を失いつつあることを示している。むろん野党が政権をとれば問題は解決すると思うほど私は楽観的ではない。しかし、そうなれば、これまでの政策の何が失敗したのかの自己点検だけはしてくれるはずである。それこそが今緊急に必要なのだと思う。

（2022年7月11日）

何ができないかを知る

　大阪天満宮の横に繁昌亭という寄席がある。そこの「天神寄席」という企画に10年ほど前から毎年呼んでもらっている。歴史学者の高島幸次先生と桂春若師匠と高座に上っておしゃべりをするのである。今回は「知ったかぶり」というのがテーマで、それに関する落語『千早ふる』など五席を聴いた。

知らないことを「知っている」と意地になり、でたらめなことを言い募って笑いものになるという噺はどれもだいたい同じである。なるほど落語というのは庶民の重要な教育機会であったのだと思い知った。

前に能楽師の安田登さんから「謡は武士の基礎教養」と教えてもらったことがある。代表的な数十曲をしっかり稽古しておけば、仏典、漢籍、記紀、万葉、源氏物語、平家物語、伊勢物語などについては、それが何かのはずみで話頭にのぼった時に、すらすらと一首を諳んじ、経文真言(きょうもんしんごん)を唱え、歌枕の故事来歴を語ることができるからである。

落語はその庶民版ではないかと思った。ただしこれは謡と違って、知識を仕入れるというよりはむしろ「道徳教育」に近いように思う。さまざまな場面に臨んで人として取るべき「まっとうなふるまい」とはどういうものか、もっぱら「それができない者」を笑うことを通じて教えるのである。

今回は「知ったかぶり」をする者の滑稽なさまを描いた出し物が多かったのだが、中に一席だけ桂二葉さんが語った『向こう付け』が違っていた。知ったかぶりをせず、「私は無筆でございます」とさらりと言えた人が無事に葬儀の帳場を務め上げるという「成功談」である。

自分には何ができないかを言葉にでき、支援を求める仕方を知っていることは文字の読み書きと同じように、場合によってはそれ以上にたいせつな社会的能力であるということを教えてくれる一席であった。落語は深い。

（2023年6月30日）

本当の友情は友だちの変容を受け入れる

ある中学校で講演をした。時間が限られていたし、一期一会(いちごいちえ)だから、いま中学生に伝えたいほんとうに大切なことだけを話した。それは「友人の成長を妨げるような友情を育んではいけない」ということである。

行ったのは中高一貫男子校。12歳から18歳までを共に過ごす。小学校を出たばかりで、最初に出会った子どもたちと仲良くなる。その時に「キャラクター設定」がなされる。お互いをまだよく知らないから、ごく表面的な特徴だけで数種類（ジャイアン・のび太・スネ夫・出木杉くんなど）に類別される。これは仕方がない。かの漱石にしてさえ赴任直後には同僚を狸・赤シャツ・のだいこ・山嵐・うらなりにしか分類していないのである。キャラ設定はそれくらい「雑」なのである。

しかし、「キャラ設定の呪縛」は侮れない。思春期で子どもたちはわずかな期間のうちに劇的に変化する。読む本も、聴く音楽も、観る映画も変わる。体形も、表情も、声も、語彙も、みな変わる。でも、一度キャラを設定されてしまうと、それを離れようとする兆しは「らしくない」という一言で抑制される。「らしくないことするなよ」というこの制止は子どもたちを深く呪縛する。「新しい自分」を守ろうと思ったら、仲間から離れるか「学校ではキャラを演じ、外で自分に戻る」という二重生活を送るしかない。前に平田オリザさんからこういう症状を「キャラ疲れ」と呼ぶのだと教えてもらった。

中高一貫校では場合によっては12歳時点で設定されたキャラにうっかりすると6年間束縛される。これは悲劇だ。劇的な変化を連続的に果たすべき時期に、変化することそのものを制約されるのである。

友だちが変容すること、少し前までとは見知らぬ人になってしまうことを受け入れ、それをむしろ祝福することがほんとうの友情である。そのように友情の定義を書き換えて欲しい。そういう話をした。みんな真剣に聴いていた（と思う）。

（2023年7月7日）

「怖いマンガ」に慄(おのの)く理由

山岸凉子先生の「怖いマンガ」が2023年夏にいくつかの出版社から発売になった。私は少年マンガ家について話す時は呼び捨てなのに（「手塚治虫」「ちばてつや」とか）、少女マンガ家にはすべて敬称をつける。たぶんあの方たちのことを私が「巫女」のようなものだと思って畏怖の念を抱いているからだと思う。あの方たちは「あちらの世界」とつながっているようで、ちょっと怖いのである。鬼神を敬して之を遠ざく。孔子だって、そう教えている。「先生」と敬称するのはたぶんそのせいである。

その山岸凉子先生の「怖いマンガ」について私のところに二つの出版社からほぼ同時に原稿依頼が来た。一つは帯文だから「怖い怖い。とにかく怖い」と書けば用事は足りるのだが、もう一つは解説なので「どうして怖いのか」をある程度論理的に説明しなければならない。山岸先生の「怖いマンガ」全作（たいへんな数がある）を通読してから腕組みして考えた。

私の仮説はこうである。山岸凉子先生のマンガの主人公たち（全員若い女性で、みんな信じられないくらい怖い思いをする）にとって恐怖の根源は外部ではなく、彼女たちの内部にある。

自分自身が恐怖の淵源なのである。それは親との関係であったり、幼児期の精神外傷であったりいろいろだが、「それについて語ることができない」という不能が彼女たちの人格特性を形成している。「ある事実から必死に目をそらし続けているうちに、そのねじれた身体が自分にとって自然な姿勢になった人」を想像すればトラウマの効果がどういうものかはわかると思う。

彼女たちは自分の中に「外傷的な何か」を抱え込み、それに支配されているのだが、その事実そのものを知らない。自分自身で毒を分泌し、それに蝕まれているのだ。そして、ある日限界に達する。「自分自身に釘付けにされて、自分以外のものになることができない」という不能が山岸マンガの怖さを構成している。と書いているうちにまた怖くなった。

（2023年7月28日）

超限界集落に響く子どもの声

凱風館門人には地方移住者が多いという話はこれまでにも書いた。先日、海の帰りに、丹後半島に移住を計画しているご一家が拠点づくりをしている集落を門人たちと共に訪れた。もとからの住民は80代の高齢女性二人だけという超限界集落である。門人一家が古民家を買い受けて、こつこつ再建していたら、住民から公民館にある集落の「ご本尊」を守って欲しいと頼まれた。そこで、古民家再建は後回しにして、まず公民館を改修することにした。

二階建てのしっかりした建物である。とりあえず集会所のご本尊（平安時代の作だそうである）にお焼香して般若心経を唱え、鬼門を抑える小さな祠にお参りして祝詞をあげて、集落の霊的保護をお願いした。こういう儀礼的なことをするのは私の役目である。それから子どもたちはそこらを走り回り、大人たちはお昼を食べながらおしゃべりをする。子どもの歓声と笑い声がこういう集落では一番得難いものだと思う。それは「ここは人間の領域だ」という「宣言」のようなものである。

こういう「名乗り」にはフィジカルな力がある。それによって少しだけ自然は後ずさり、植物の繁茂も野生獣の活動も抑制的になる。そういう話を古い友人である林業家から前に聴いたことがある。人間の力は過大評価してはいけないが、過小評価をしてもいけない。人間が一人そこにいるだけで自然の繁殖力は少しだけ抑えられる。だから、人が住まなくなった家は一気に崩れ落ちるのである。

いま過疎地で起きているのは人類が経験したことのない「人間の活動領域の縮小」という現象である。その時に自然と文明の境界線にあえて立つ人たちは「歩哨」の役目を果たしていると私は思う。人間の文明を守ると同時に自然を守ってもいるのだ。この仕事を進んで引き受ける人たちが周りにしだいに増えていることを私は心強く思っている。

（2023年8月4日）

元気な若者がいる場所

2021年4月に兵庫県豊岡に芸術文化観光専門職大学という県立大学ができた。劇作家・演出家の平田オリザさんが学長である。数年前より平田さんと中貝宗治前豊岡市長から大学を作るという計画については伺っていた。この学校の特徴は芸術文化と観光を結びつけた日本ではじめての大学だということである。

「芸術文化と観光」というのは一見すると食い合わせが悪そうだが、海外では芸術活動の拠点に世界から観光をかねて人が集まるということは珍しくない。エクス・アン・プロヴァンスの音楽祭、ブザンソンの指揮者コンクール、ローザンヌのバレエコンクールなどがよく知られている。偶然、この三つの町を私は訪れたことがある。共通しているのは、中世からの歴史を誇る小さな地方都市であること、景色が美しいこと、食事が美味しいこと、そして大学があることである。

平田さんも世界各地で芸術と学術が醸し出す独特の空気感がある街をいくつも見て、日本にもそういう街があっていいと思ったのだろう。そこで、城崎温泉、出石や竹田の城址、神鍋高原などの観光資源に恵まれた豊岡市を芸術と学術の発信拠点にしようと考えた。海外から劇団やダンスカンパニーを集めている城崎国際アートセンターに続いて、平田さんの率いる青年団の拠点でもある江原河畔劇場が建ち、満を持して今回県立大学ができた。

過日、この大学に集中講義に行った。高橋源一郎さんと隔年で担当する文学と言語についての授業である。行く前に高橋さんに「どんな学生ですか？」と訊いたら「最高です！感受性が鋭くて、挑むような感じもあり、内側に表現したい意欲が渦巻いている子たちが多く、楽しかったです」という弾むような感想を知らせてくれた。

実際に行ってみたら、高橋さんの言う通りだった。この国にはまだまだ力のあふれる元気な若者がいることを知ってなんだかほっとした。

（2022年8月5日）

教師は日本語使いのロールモデル

作文教育の全国大会で講演を頼まれた。国語教育についてはいろいろ申し上げたいことがある。

私見によれば、国語教育の目的はただ一つである。それは「母語運用能力を高めること」である。それに尽くされる。豊かな語彙と響きの良い音韻を駆使できること、カラフルな比喩や、味わいの深い故事成語や、刺激的な術語を織り込んで、奥行きのある複雑な思念や感情を表現できるようになることである。

そのために教員に求められることは「教員自身が日本語使いのロールモデルになること」だと私は思う。それ以上効率的な教育はないからだ。教室に入って、「おはようございます」と言ってから後、子どもたちに話しかけ、応答するすべての言語活動がそのまま教材である。実際にそうなのだ。静かな声で、子どもたちの心と体にしみこむような言葉で語りかける教師が目の前にいれば、それがそのまま子どもたちの「日本語のアーカイブ」を形成する。どれほどすぐれた教材を使おうとも、学習指導要領に則っていようとも、子どもたちを居丈高な金切声でどなりつけるような教師から子どもたちが学ぶのは「人に屈辱感を与える仕方」くらいである。そんなものを学ぶために人は学校へ行くわけではない。

講演の前に舞台の上で公開授業が行われていた。とてもよい授業だった。何より若い先生の声がよかった。やさしく、深い声で、子どもたちに語りかけていた。その後反省会があって、何人かの先生たちが彼の授業の進め方についてコメントを述べた。でも、誰一人この若い先生の語る声について触れなかった。でも、私は彼の沁みとおるような声がこの授業で一番輝いている部分だと思ったので、講演の劈頭（へきとう）でそう申し上げた。言ってから聴衆に「じゃあ、お前はどういう日本語でこれから講演するのだ」という査定的まなざしを呼び込んでしまったことに気がついたがもう遅い。

（2022年8月7日）

「親身」になってくれる人の大切さ

人には親切にしようと心がけている。そんなの当たり前だと言われそうだけれど、私の場合は努力目標である。もともとあまり親切な人間ではなかった。人に頼らないし、頼られない。助言を求めないし、助言もしない。ずっとそういう生き方をしてきた。

学生相手でもそうだった。相談されても頷いて聴いているふりはしていたが、右から左に聞き流していた。具体的に困っている学生には「金なら貸すよ」と実際的な提案はしたけれど、親身になって話を聴いていたわけではなかった。

でも、ある時期からそれではいけないと思うようになった。「人に思いがけなく祝福の言葉を贈られた」ことが若い人にとってはあとあとで生きる支えになるらしいと知ったからである。誰かに「幸運に恵まれますように」と告げられたことがわずかなりとも生きる支えになるなら、その程度の努力を惜しむことはない。

助言の本義は有用で実際的なアドバイスに存するのではない。「親身になってくれた人がいた」という事実の方にある。どれほど助言が適切であっても（「心を入れ替えてまじめに生きなさい」とか）、本人にそれを実行する力や意志がなければ意味がない。逆に、どれほど助言が的外れでも（「まず部屋を掃除しなさい」とか）、それで1ミリでも浮力が得られるなら、何か言ってあげる方がいい。

最近、そういうこちらの心変わりを感知したのか、若い人から「人生相談メール」がよく来るようになった。わずかな個人情報だけに基づいてでは適切な助言などできるはずもないが、割と親身に返事を書く。そして、最後には「幸運を祈ります」と書く。

うちの書斎の壁には師であるエマニュエル・レヴィナスからもらった手紙が額装して飾ってある。文末には「あなたの哲学的未来に幸あれと祈ります」とある。思えば、私もまた久しくその一言を支えに生きてきたのだった。

（2022年8月19日）

教育の本務

夏休みになると、教員たちの研究集会が各地で開かれる。今年はこれまでに二つの大会に招かれて講演をした。一つは日本作文の会、一つは東北六県の教育研究集会である。教育関係の集会での講演がこの夏はまだあと二つある。遠方への旅は身体的にはきついけれども、教育関係の講演依頼はできるだけ引き受けるようにしている。

お座敷がかかるのは、私が現場の教員たちに「もっとがんばれ」と言わないからだと思う。教師たちはもう十分にがんばっている。過労死ラインすれすれで働いているのに、それでもなお文科省や教委や保護者やメディアからは「努力が足りない」と批判され続けている。それでは教員のなり手が激減するのも当然である。

私は教員たちには「無駄な仕事はする必要ない。ほんとうに大切なことだけに全力を集中した方がいい」と言うことにしている。

「ほんとうに大切なこと」とは、子どもたちを笑顔で学校に迎え入れ、ひとりひとりに「ここが君のいる場所だ」と保証して、「私は君がここにいることを願っている。だから、どうかここにいて欲しい」と伝えることである。子どもたちを歓待し、承認し、祝福することである。それができたら教師の仕事としてはもう満点だと私は思う。それ以外のことは、教科を教えることを含めて、会議やペーパーワークや評価や査定は、どれも教育にとっては副次的なことに過ぎない（副次的でさえないブルシットジョブもある）。

教育の本質は自学自習である。子どもたちの中で「学び」への意欲が起動したら、正直言って、もう教師の仕事は半ば以上終わりなのである。あとは乾いたスポンジが水を吸うように子どもたちは学ぶ。「読みたい本がある」と言われたら与え、「したいことがある」と言われたら段取りを整え、「会いたい人がいる」と言われたらなんとか手を尽くす。それくらいである。

たいせつなのは子どもたちの中に「学びたい」という思いが発動したときに、それを見逃さないことである。いつ、どういうきっかけで「学びへの意欲」が発動するのか、それは誰にも予測できない。予測不能である以上、「下手な鉄砲も数撃ちゃ当たる」方式がもっとも効率的である。「こうすれば必ず子どもたちの知的欲求が亢進する」というような魔術的な解は存在しない。「ある」という人が時々いるが、もしその人がその後に「だから金を出せ（あるいは私に敬意を示せ）」と要求してきた場合には信用しない方がいい。これだけ多様な子どもたちに対して「これ一つですべてうまくゆく」オールマイティのカードなど存在するはずがない。

私たちにできるのは子どもにおける「学びの発動」を忍耐強く待つことだけである。そして、教育理念を異にし、教育方法を異にする多様な教員をできるだけたくさん子どもたちの前に並べて見せる。どの教師に向かって子どもが心を開くのかが事前には分からない以上、いろいろ用意しておくことが一番「取りこぼし」のリスクが少ない。

ただし、どんな教師についても、子どもたちを歓待し、承認し、祝福することが教師の本務だということについては譲るわけにはゆかない。そんなことはしたくない。それより子どもたちを服従させ、訓導し、格付けしたいというような人には教壇に立って欲しくない（そういう教師でも子どもたちに「あんな人間にだけはなりたくない」と思わせるという「負の指南力」を発揮することはあるが）。

私が教員たちにするのはだいたいそんな話である。みなさんは別に有用な知識や技能を教えるためにいるのではない。会議をしたり、報告書を書いたりするために学校に来ているわけではない。子どもたちの成熟を支援するためにいるのだ。そう言うと多くの教師たちは深く頷いてくれる。

（2022年8月15日）

民主政の手柄

バンコクにいる日本の子どもたちを対象に定期的にオンライン授業をしている。今回のお題は「民主主義」。民主主義はあまりうまく機能していないように見えるが、みなさんはどう思うか訊いてみた。回答の中に「民主主義指数」で日本は先進国下位であるという指摘があった。ほんとうだろうかと思って、統計を調べてみたら意外な結果がわかった。

日本の民主主義指数は実はそんなに悪くないのである。上位は予想通り北欧諸国で、台湾（8位）、韓国（16位）の後塵を拝してはいるが、日本は17位である。英国が18位、フランスが22位、アメリカは26位。なんと、日本はマグナカルタや人権宣言や独立宣言の国より民主主義度が高いのである。本当にそうなのだろうか。

ランキングを見て改めて「民主主義というのは不出来な制度だ」という思いを新たにした。チャーチルは「民主政は最悪の統治形態である。これまでのすべての統治形態を除けば」という解釈の難しい言明を遺している。これを私は「民主政はつねに試行錯誤のうちにある」と解釈したい。

民主政以外の政体（君主政や貴族政や寡頭政）には試行錯誤の余地がない。賢者が統治している時はうまくゆくが、暗愚で邪悪な人物が統治すれば瓦解する。「絶好調と絶不調の中間」がない。逆に民主政はそこにしか居場所がない。市民が賢明な選択をして賢い統治者を選べばうまく機能するし、選択を誤ると悲惨なことになる。でも、つねに修正に開かれている。この可塑性が民主政の手柄だろうと思う。

民主政はしばしば統治者の選択を誤る。それを防ぐ手立てはない。でも、反省して、賢く善良な統治者を選び直して善政に復する手立てはつねに残されている。この開放性がおそらく民主政の命なのだ。だから、「民主主義指数が乱高下する国」があるいは最も民主主義的なのかも知れない。そんな話をした。

（2022年8月26日）

私たちの日常は太古の闇に繋がっている

時々、不思議な仕事を頼まれる。２０２１年から「H－1法話グランプリ」というイベントの選考委員を委嘱されている。日本の各宗派から法話のお上手な若手僧侶たちを選んで頂き、10分ほどの法話画像を見て、本大会出場者を最終決定するという仕事である。選考委員は私以外の全員が各宗派を代表する僧侶の方々で、私一人が俗人である。

法話とは仏事でお寺に集まった檀家の方たちを前に、身近な日常経験を素材にして仏陀の教えへと導くものである。「身近なところ」から「宗教の深み」へという局面転換の意外性と切れ味が法話の妙味である。

2年間で法話をたくさん拝聴した。他の選考委員の方は「法話のプロ」であるから、姿勢とか発声とか資料の使い方とか技術的なところに眼が行くようであるが、私は俗人なので、とにかく法話が「どれくらいありがたいか」に焦点が合う。短いお話を聴いて、当方の宗教的な知見が一つ深まるなら「聴いた甲斐があった」ということになる。「ああ、面白かった」だけではちょっと困る。

聴いていて思ったのだが、こういう話に必要なのは「わかりやすさ」ではない。法話は身近なことを素材に採るのだが、日常的に私たちが実践していることの多くは実は結構「わかりにくい」からである。改めて「どうしてこんな作法があるのか？」とか「どうしてこんな言葉を用いるのか？」と考えると「わからない」ということが多い。

かつてクロード・レヴィ＝ストロースは、親族であれ、言語であれ、交換であれ、われわれを人間たらしめている制度の起源はいずれも太古の闇に消えていて、その発生には遡ることができないと書いていた。

私たちの日常茶飯事はたどればその多くが「太古の闇」に繫がっている。そのことに気づいてくれると若い方にも宗教的に深みのある法話ができるような気がする。


（2023年9月8日）

「病的な合理主義者」と診断がついて安心した

こういう短文であまり私事は語らないものだが、興味深い話だったので書いてしまうことにする。先日、精神科医の春日武彦先生とお話しする機会があった。『9月1日の君へ』

という若者論を出した代真理子さんが私たち二人に「絶望とどう向き合うか」について話を聴きたいということで企画されたのである。

9月1日というのは学校の二学期の開始日であるが、実はこの日に子どもの自殺が一番多い。夏休みが終わってまた学校が始まる日に「もう学校に行きたくない」という子どもたちが死を選ぶのである。

自殺の理由の一つは「ほとんどの人間はこの世界にうまく適応しているのに、自分一人は適応できていない」という孤立感である。この孤立感は私たちにもわかる。春日先生も私もそれぞれの仕方で心を病んでいて、学校にうまく適応できない子どもだったからである。二人ともこの世のほとんどの職業に向かないことがわかっていたので、「自分にもできそうな仕事」を必死で探してなんとかここまで生きて来た。

せっかく熟練の精神科医を前にしたので、私の「心の病」をお話しして専門家の診断を仰ぐことにした。

私は子どもの頃から何かを集めたことがない。切手もレコードも服も蒐集することにまったく興味がないのである。読みたい巻だけ買うので、コンプリートの全集というものも持っていない。ふつうどんな男子もラジオとかカメラとかバイクとかオーディオとかパソコンとかに親和的なものだけれど、私はメカニズムにまったく興味がない。もちろん道具としては使うけれども、その内的な構造や論理は何も知らない。だからうかつに分解したりしたら、それっきり廃品である。散歩というものもしたことがない。歩くのは目的地に向かって最短時間で移動する場合だけである。だから「夕日に向かってバイクを走らせる」とか「春風に誘われてあてもない旅に出る」というようなことをしたことがない。二十代からバイクにも車にも乗っているが、一度もない。

経験豊かな春日先生もさすがに少し驚かれていたが、笑顔で「病的な合理主義者」という診断を下してくださった。自分の病気に診断名がついたのでちょっとほっとした。

（2023年9月15日）

日本人の宗教性の源泉

私の主宰する凱風館にはいくつかの「部活」がある。居合研究会、杖道部（じょうどう）、スキー部、ハイキング部、滝行部などなど。2年前に乗馬部ができた。新陰流の指導に来て頂いている三好妙心先生から乗馬の骨法について話を伺っているうちに無性に馬に乗りたくなってきて、春秋2回、白樺湖畔の牧場で乗馬のご指導も受けることになったのである。

武道は「弓馬の道」と言う。馬に触ったことがないというのでは武道家として見落としがあるかも知れないと思って始めたのであるが、まことに奥の深いものである。先日2泊3日の楽しい合宿を終え、帰路に諏訪大社にお参りして、神仏習合の儀礼を拝見することになった。

明治初年の神仏分離で、他所と同じく、諏訪大社からも僧は追われ、仏像、仏具、経典は廃棄された。地名だけは残っているけれど、もう神宮寺もない。

その諏訪大社で、神官、僧侶、修験道の山伏たちが一堂に会して神事と法事を併せて行うという画期的な行事が営まれたのである。山伏に先導された僧約70人が神官たちの出迎えを受けて20人が拝殿に上がった。廃仏毀釈以来150年ぶりのことだそうである。拝殿では祝詞が上げられ、諏方講之式という独特の節回しのお経が唱えられ、参拝者たちは大般若転読を拝聴して、600巻の経典から吹き寄せる供養の風をありがたく身に受けた。

神仏習合は明治政府による政策的な分離まで1300年続いた日本の伝統的な宗教の形である。今も私たちは正月には神社に詣で、葬儀では戒名を頂き、教会で結婚式を挙げることを怪しまない。この非原理主義的でゆるやかな宗教的態度を私はとても好ましいものだと思っている。日本人の本来の宗教性はここに存する。

おそらくこれから全国各地で神仏習合が再生するだろう。諏訪がその先駆となることを願っている。

（２０２２年10月13日）

香具師（やし）とメタメッセージ

時々未知の方から手紙を受け取る。返信をする場合もあるし、しない場合もある。時々、アポイントなしで自宅を訪れる人がいる。招じ入れる場合もあるし、お引き取り願う場合もある。そのつど対応が違う。果たして私はどういう基準で対応を変えているのか、考えた。

どうやら「自分のしていることがどう解釈されるか」わかってやっている人と、わからずにやっている人の違いを私は基準にしているようである。「急にこんな手紙を差し上げて、すみません」とか「いきなり訪れてさぞご迷惑だとは承知しておりますが」というお断りがあれば、それほど変な人ではないということがわかる。いきなり見知らぬ人に「あなたに言いたいことがある」と切り立てられても応じようがない。

これは香具師の上手もそうらしい。腕のいい香具師は客と目を合わせないのだそうである。客が見ているものを一緒に見て「それ、何なんでしょうね……。伊万里みたいですが、本物ですかね」というふうに客の当惑や疑念を丸ごと受け入れるのである。客が気がついた時にはもう値段交渉が始まっている。

これは物書きの骨法にも通じる。私はわかりにくい話を書いた時には、必ず「わかりにくい話で申し訳ない」と書き添える。読者は「なるほど、これは書いている本人さえ認める程にわかりにくい話なのか」と安堵する。話はわからないが、どうやら書き手はそれほど非常識な人ではないと思うのである。

記号論ではこれをメタメッセージと呼ぶ。「メッセージの解読の仕方を指示するメッセージ」のことである。メタメッセージでは真実が語られる。「私の言うことは話半分に聞いてくださいね」と言われたらそうする。話半分の半分だから真実含有量は四分の一とは解さない。という話も話半分で聞いて欲しい。


（2022年10月15日）

創造は集団の営みである

バンコクの中高生にオンライン授業をしているという話は前に書いたことがある。今回は「日本の良いところ、悪いところ」についてのアンケートを素材に授業をした。

子どもたちが挙げた欠点は、同質化圧力、集団主義、いじめ。長所は、治安のよさ、清潔さ、食文化、アニメとマンガ。子どもたちはよく観察している。

いじめと治安のよさはたぶんゼロサムの関係にある。目立つな、浮くな、分際をわきまえろという圧力の下で子どもたちの攻撃性は内攻する。「標準からのずれ」をきびしく咎められてきた子どもたちの怒りが「標準からずれた人」に向けて解発されるというのはありそうなことだ。

食文化の卓越性についても子どもたちの観察は正しい。少し前にパン職人の人たちと話した時、彼らがきっぱり「日本のパンは世界一です」と言い切ったのに驚いたという話は書いた。鳥取の智頭でパンとビールを作っているタルマーリーの渡邉格・麻里子夫妻は私の友人だが、地方からの文化的発信というテーマでよくメディアに取材されている。山間の過疎地で世界的なレベルのパンとビールを創り出している「偉業」が注目されているのである。

食文化の他にも、衰運の日本にあって、例外的に高い創造性を発揮している分野がいくつかある。マンガやアニメもそうである。

世界標準を創り出しているこれらの分野には共通点がある。

第一はもちろん作り手たちが定型的思考に囚われていないことだが、もう一つある。それは自分たちの技法や知識を「パブリックドメイン」で共有していることである。「オレの真似をするな」というような狭量なことを創造的な人は言わない。創造的な人はつねに新しいものを創造することに熱中しているので、他の人がやっていることをうるさく気にかけているほど暇ではないからである。それに何より彼らが直感的に「創造は集団の営みである」ことを知っているからだと思う。一人で「あれもこれも」と手を出すより、才能のある人たちが共同作業で同じ目標に取り組んだ方が手間も省けるし、成功する確率も高い。そのことを知っている人たちだけが創造的な仕事を果たすことができる。バンコクの中高生に一番言いたかったのはそのことである。

（２０２２年10月20日）

「昭和特区」

電気自動車への切り替えが世界中で進んでいるが、日本は大きく出遅れているらしい。このままではいずれ日本の自動車産業は輸出先を失い、内需だけになる。世界で日本だけが「まだ20世紀のままの国」になる。年若い友人がそう言って悲しげに日本の後進性を嘆くのを聞いているうちに、ふと「それ、商売になるんじゃないか」と思い立った。

電気自動車が世界標準になっても大排気量のガソリンエンジンで爆走したいという一握りの好事家は必ずいるはずである。そういう人たちに「日本はまだガソリン車で走れるところがありますよ」と声をかけて、それを商売にするのである。いわば「ガラパゴス特区」である。

併設して「昭和特区」も作ってはどうか。そこでは居酒屋や寿司屋のカウンターで煙草が吸える。店内には60年代ポップスや70年代の演歌が流れ、トイレの壁にはゴダールの映画や状況劇場のポスターが貼ってあり、壁には「悪魔の第三次ブント」などと殴り書きされており、映画館では『昭和残侠伝』や日活ロマンポルノが上映され、通りではマスタングやホンダＣＢ４００Ｆが爆走している。そういうタイムマシンで昭和に連れ戻されたような「アミューズメント・パーク」を作ったらどうであろうか。

初期投資なんかほとんど要らない。なにしろ「ありもの」の使い回しで済むのである。廃屋や古道具を並べるだけで昭和の風景になるんだから。

年齢制限をかけて若い人にはご遠慮願う。なにしろ不健康な空間であるから、前途のある若者に近寄ってもらっては困る。年寄り限定。多少ぼけてきた老人たちも、そこでなら多少は生き生きするのではないか。

思いつきに興じて「どう、これ」と見回したら、周りの若い人たちから冷たいまなざしを向けられた。「政治的に（すごく）正しくない」アイディアだったらしい。


（2022年10月28日）

新しいジャンルの創造に立ち会う

パンソリという朝鮮の語り芸がある。唱者の語りに鼓手（コス）が合いの手を入れて独特のグルーヴが生まれる。浪曲師の玉川奈々福さんは初めて安聖民（アンソンミン）さんのパンソリを聴いた時に、これは浪曲と同源の芸能だと直感したそうである。以後、この二人に作家の姜信子(カンシンジャ)さんを加えたユニット「かもめ組」を作って活動している。凱風館でもこれまで4回公演をしてもらった。先日新作パンソリ『にんご』の初演が行われた。

パンソリは主に朝鮮の神話や伝承が主題だが、新作は日本と朝鮮という二つの国の二つの言語の間に生きた在日コリアンたちが語る「言葉についての物語」だった。

安聖民さんと鼓手の趙倫子(チョリュンジャ)さんが合作した物語には、巫者（ムーダン）に呼び寄せられた三人の死者たちが登場して、それぞれの時代、地域に固有の言葉を話す。在日一世が語るのは、日本語の文に朝鮮語の単語をはめこんだ「ピジン日本語」である。朝鮮語には濁音で始まる単語がない。だから、知られているように関東大震災の時、自警団は道行く人に「十五円五十銭」と言わせて、うまく発音できなかった者を「不逞鮮人」とみなして虐殺した。『にんご』というタイトルも在日一世の口にする「りんご」が孫たちの耳には「にんご」に聴こえたという作者たち自身の記憶をふまえている。

新作パンソリでは語りの部分が日本語に、節の部分が朝鮮語に振り分けられている。語りが物語を進め、節が激情や幻想を叙す。その点は本邦の語り芸と変わらない。能楽だと語りが節に変わる時に空間と時間がたわみ、この世ならざるものが能舞台上に出現する。『にんご』でも、二種類の言葉が行き交い、現実と夢想が入り混じる時、未聞のものが立ち上がる。物語は二つの国の乗り越え難い懸隔と、そこに架橋する希望を語る。
新しいジャンルの創造に立ち会うという稀有の体験をした。

（2022年11月18日）

「調った身体」

演劇とダンスを専攻する学生たちに「ととのった身体とは？」というテーマで授業をした。私は長く武道を稽古しているので、身体が「ととのう」ということは実感としてわかる。でも、それを言葉にするのは難しい。

そもそも「ととのう」という時に「整う」を用いるか「調う」を用いるかで微妙に意味が違う。「部屋が整う」「服装が整う」という場合には、結果的にどういう状態であるべきかがかなり具体的に示されているからそれを目標にすることができる。でも、「味が調う」とか「心が調う」というのは「なんとなく、こっちかな」と手探りしているうちに、「あ、ここだ」とわかる。事前に計画できないし、行程管理もできない。

どうして「あ、ここだ」とわかるかと言えば、長く生きていると、身体のどこにも力みも、緩みも、詰まりも、ずれもない感じを誰でも一度は経験したことがあるからである。少なくとも母の羊水の中に浮いていた時には経験したはずである。胎児の時までを「生きている間」に繰り込まなくても、十代の終わりまでに多くの人は「ああ、いま自分の身体は100パーセント気持ちがいい状態にいる」という実感を抱くことがあったはずである。それが海の中であったり、雪の上であったり、草原で横臥している時であったり、状況はいろいろだろうが、その時の身体記憶が「あ、ここだ」という「身体が調った状態」の指標になる。というのが私の仮説である。

調っていない状態から調った状態に「一気に」戻る時に、人間の身体は最短距離を、最少時間、最少エネルギーで動く。高いところにあるものが重力によって落下するのと同じである。武道的に言えば、それが最強の動きとなる。

だから、身体技法の習得で一番たいせつなのは「最高に気持ちのいい身体の状態」を知っていることなのである。そう話をしたら学生たちは深く頷いてくれた。わかってもらえたらしい。

（2022年11月29日）

怪物を制御する主体

是枝裕和監督の映画『怪物』の公式パンフレットに寄稿を頼まれたので、こんな文を寄せた。

人は誰でも自分の中に一匹の「怪物」を飼っている。

私がそのことを知ったのは半世紀ほど前の学生運動の渦中においてである。当時、キャンパスはしばしば「無警察状態」になった。どのような非道なふるまいをしても刑事罰を受けるリスクがないという状態になると、暴力性を自制できない人がいる。それも少なからずいることを私はそれまで知らなかった。

ふだんは「ふつうの人」のような顔をしている学生の形相がいきなり変わって、すさまじい暴力をふるった。しばらくしてキャンパスですれ違った時にはまた別人のように「ふつうの顔」をしてすたすた歩いていた。

あの頃、たくさんの学生が同じ学生によって殺されたり、重い傷を負わされたりした。多くの場合、犯人は捕まらなかった。だから、若い頃に人を殺したり、生涯残るほどの傷を負わせた人たちの多くは、その後就活して、勤め人になり、今ごろはもう年金生活者になっていると思う。でも、家族も友人も誰もそのことを知らない。

先の戦争の時も同じようなことがあったのだろうと思う。ふだんは穏やかなおじさんや内気な青年であった人たちが、何をしても処罰されないという状況に投じられた時に「別人のような形相」に変わって、略奪し、放火し、強姦し、殺害したということを私は信じる。彼らは復員した後、またもとの穏やかなおじさんや内気な青年に戻ったのだろう。

これは個人的な仮説なのだが、彼らが解き放った「怪物」は、ふだんのその人のありようからは想像もつかぬほどに異形的であった方が、本人にとって心理的負担にはならなかったのではないだろうか。つまり、自分の性格の延長上に、例えば、暴力的であるとか、嫉妬深いとか、嘘つきであるとか、「よくある悪徳」が過激化したかたちがおのれの「怪物」であったら、たぶん私たちはその暴走を止めようとするだろうと思う。その「怪物」は紛れもなく「私自身」に起源を持つものであり、そうである以上、自分に「製造者責任」があるからだ。

しかし、「怪物」が私自身とは似ても似つかぬものであったらどうだろう。まるで誰かと入れ替わったように別人であったらどうだろう。その場合は、「ふだんの自分」に戻った時に、「怪物」であった自分がしたことは悪夢の断片のようにあいまいなものに思えるのではないだろうか。夢の中の自分の犯した非道や残虐については、後味の悪い目覚めの後に、「私」の良心が激しく痛むということはないように。

私がかつて大学で見た「何ごともなかったかのようにすたすた歩み去った」学生たちは、たぶん自分が何をしたのか忘れていたのだと思う。記憶していたかも知れないけれど、それは遠い悪夢の断片ほどに縮減されて、心に突き刺さるほどのリアリティを失っていたのだと思う。

映画『怪物』に出てくる人たちはみな何らかのかたちの「怪物」を飼っている。その「怪物」が本人の性格特性の延長である場合（保利の恋人のエゴイズムや教頭の保身や依里の父の暴力のような「よくある悪徳」の場合）、彼らが解き放つ「怪物」はそれほど想像を絶したものにはならない。

しかし、ふだんは穏やかで優しい人がうちに飼っている「怪物」が解発された時、「怪物」は誰も見たことのない、まったく異形のものとなる。そういう「怪物」は誰にも制御できない。怪物に「製造者責任」を感じる人がどこにもいないからだ。

子どもは「ふつうの自分」がどんな人間であるかについて、いまだ確たる自己像を形成していない。わずかに場面が変わり、人物配置が変わっただけで、子どもはまるで別人のようになる。その可塑性こそ「子どもらしさ」の本質なのだが、そのせいで子どもたちは

「怪物」を解き放った時にも自分がその起源なのだという自覚を持つことができない。それは「見ず知らずの誰か」なのだ。だから、子どもが解き放つ「怪物」は怖いのだと思う。

（2023年5月7日）

複雑な現実を複雑なまま語ることの効用

「複雑な現実は複雑なまま扱い、単純化してはならない」ということを長く生きてきて身にしみて学んだ。「その方が話が早い」からである。話は複雑にした方が話が早い。私がそう言うと、多くの人は怪訝な顔をする。でも、そうなのだ。いささか込み入った理路なので、その話をする。

私は人も知る病的な「イラチ」である。「イラチ」というのは関西の言葉で「せっかち」のことである。どこかへ出かける時も、定時になったらメンバーが全員揃っていなくても出発する。宴会でも定刻になったら来賓がまだ来ていなくても「じゃあ、乾杯の練習をしよう」と言ってみんなに唱和させる（来賓が着いたら「乾杯の儀に粗相があってはならないので、リハーサルをしておきました」と言い訳する）。

そういう前のめりの人間なので、当然ながら話をする時も最優先するのは「話を先に進めること」である。ぐずぐずと話が停滞することも、一度論じ終わったことを蒸し返されるのも大嫌いである。そういう人間が長く人と対話し、合意形成を試みてきて得た結論が「話を複雑にした方が話は早い」ということであった。

多くの人は「話を簡単にすること」と「話を早くすること」を同義だと考えているが、それは違う。まったく逆である。話は簡単になったが、そのせいで現実はますます手に負えないものになるということはしばしば起こる。現実そのものが複雑な時に、無理に話を簡単にすべきではない。そんなことをすれば話と現実の間の隔たりが広がるだけである。語られた話がどれほどシンプルでわかりやすくても、現実と乖離した妄想であるなら、そのような「簡単な話」には現実を変成する力はない。

そう書いておいてすぐに前言撤回するのも気が引けるが、実は「簡単な話」に基づいても現実を変成することは可能なのである。だからこそ人々は「簡単な話」に魅惑され、それに固着しもするのである。

簡単な話は単に私たちの知的負荷を軽減してくれるだけでなく、たしかにある種の実効性を持ってもいる。ただし、複雑な現実を簡単な話に無理やり落とし込むことによって出現した事態はいわば力任せに無理やりに創り出した「仮想現実」である。そういう「無理やり作り出した現実」には「現実である必然性」が欠けている。だから、保持力がない。しばらくは現実のような顔をしているが、そのうちに無理が祟って、内側から壊死する。そして、形状記憶合金のように、元の「複雑な現実」という本態に戻ってしまう。何一つ解決しないままに。

ギリシャ神話にプロクルステスという盗賊が出てくる。彼は街道沿いで待ち構えて、通りがかりの旅人に彼の寝台で休息するように声をかける。そして、寝台に寝かせて、旅人の体が寝台からはみ出したらそこを切断し、逆に寝台の長さに足りなかったら体を無理やり寝台の長さにまで引き延ばした。

複雑な現実を簡単な話に落とし込もうとする人たちを見ると、このプロクルステスの故事を思い出す。当然のことながらそんなことをすると天罰が当たる。神話によれば、英雄テセウスがやってきて、プロクルステスを彼の寝台に寝かせて、はみ出した頭と足を切断してしまったそうである。それ以後「プロクルステスの寝台」というのは「無理やり出来合いのスキームに落とし込むこと」を意味する喩えとして使われるが、そういう無理をしてはいけないという教訓も込みなのである。

だから、現実を切り縮めることも、現実になかったことを書き加えることも、どちらも止めた方がいい。現実はできるだけ現実そのものの大きさと奥行きと不可解さのまま扱う方がいい。たしかに手間はかかるし、誰がやっても、程度の差はあれ「切り縮めたり、書き加えたり」という作為は免れない。でも、それを当然のように行うか、疚しさを覚えつつ行うかの間には千里の径庭がある。

「話を簡単にする」方法の中で最も簡単なのは「問題を消す」ことである。問題があるのに、「そこには問題などない」と言い立てるのである。

例えば、北方領土についての日ロの意見はずいぶんと食い違っているが、最大の食い違いは、ロシアが「北方領土はもともとロシア固有の領土であるので、日本との間に領土問題などは存在しない」と主張し始めたことである。「そこに問題がある」ということを当事者双方が認めているからこそ話し合いは始まるが、当事者の一方が「問題はない」と言い出したら、問題は未来永劫解決しない。

ナチスは紀元前から続く「ユダヤ人問題」の「最終的解決」とはユダヤ人を「消す」ことだという天才的なアイディアを思いついた。問題の当事者がこの世からいなくなれば、問題もなくなる。第三帝国の宣伝相だったヨーゼフ・ゲッベルスは1941年に「ユダヤ人問題に関して、総統は**問題を簡単にすることにした**」と日誌に記しているが、これは「問題を簡単にする」というフレーズの最も印象的な用例として記憶しておいてよいと思う。しかし、歴史が教えてくれるのは「最終的解決」によって話を簡単にしようとしたせいで、ドイツ国民は半永久的に解決できない問題を抱え込んでしまったということである。

ふつうの人々はこれほど極端なことはしない。問題を簡単にするためにふつうの人々は「問題は単一の邪悪な存在が引き起こしている」という陰謀論を採用する。これはたいへん使い勝手がよいので、あらゆる政治的難問について適用されている。

陰謀論では、社会的不調が起きると、それは「邪悪でかつ強大なものの悪意の干渉」として説明される。その社会がかつて本来の純良な状態にあった時には、人々は幸福であったのだが、外部から異物が混入してきて、集団を汚染したせいで、社会はその本来の姿を失い、堕落してしまった。だから、混入した異物を特定し、これを摘抉（てっけつ）・排除すれば、集団は原初の清浄と活力を回復するというのが陰謀論の基本話型である。

陰謀論は「邪悪でかつ強大なもの（author）」が誰であるかを名指した時点でほぼ完成する。「オーサーは誰か」を決定するまでの推理に多少は頭を使うが、以後は総がかりで「オーサー」を叩き出すという力仕事が残っているだけで知的負荷はない。だから、独裁者のいる国では陰謀論が蔓延する。「世の中の仕組みは驚くほど簡単である。諸君はまったく頭を使う必要がない」と知的怠慢が推奨され、市民の政治的成熟が制度的に阻止されるからである。

陰謀論は破局的な大事件が起きた時には必ず登場する。陰謀論者は、その破局がいくつかの複合的な原因の帰結であるというふうには考えない。単一の「オーサー」がすべてを計画し、統御していると言い張る。例えば、フランス革命は巨大な政治的変動であったが、陰謀論者はそれを王政の機能不全、資本主義の発展、啓蒙思想の普及などの歴史的事実の複合効果とは考えずに、フランスのすべてを裏から支配している「秘密組織」の計画の実現とみなした。

この場合、「オーサー」は必ずや秘密組織でなければならない。というのは、革命が起きる直前まで、ブルボン王朝の警察はこのような巨大な運動を一糸乱れぬ仕方で統制しうるほどの実力を持った政治組織が国内に存在するいかなる証拠もつかんでいなかったからである。完全に警察の目を逃れて、整然と統制のとれた政府転覆工作を実現できるのだから、それは政府と同規模の組織的実力を持つ「闇の政府」でなければならない。次の問題は「それは誰だ?」である。フリーメイソン、イリュミナティ、聖堂騎士団、英国の海賊資本、プロテスタント……さまざまな候補が挙げられ、最終的にユダヤ人が「闇の政府」だという話に落ち着いた。フランス革命後に、被差別身分から解放されたユダヤ人が政治・経済・学術・メディア各界にはなばなしく進出したという歴史的事実が目の前にあったからである。

フランスの「反ユダヤ主義の父」エドゥアール・ドリュモンはこう書いた。
「フランス革命の唯一の受益者はユダヤ人である。すべてがユダヤ人から始まったからこそ、すべてはユダヤ人のものになったのである」（『ユダヤ的フランス（*La France juive*）』、1886年）

ある出来事の受益者がその出来事の「オーサー」であるという推論は論理的には成立しない。それは「風が吹けば桶屋が儲かる」という事実から桶屋は気象をコントロールできる魔力を有していると推論するのと同程度に没論理的である。だが、この陰謀論にフランスの読者は飛びつき、『ユダヤ的フランス』は19世紀フランス最大のベストセラーになった。その後も、この「簡単な話」は意匠を替えて繰り返され、最終的に600万ユダヤ人のジェノサイドに帰着した。「簡単な話」の現実変成力（というよりは現実破壊力）を侮ってはならない。

私の学問上の師はエマニュエル・レヴィナスという「ホロコースト・サヴァイヴァー」のユダヤ人である。レヴィナスは私が知る限りで最も複雑な語法で哲学を語る人だった。絶えず言葉を言い換え、つながりようのない形容詞と名詞を結びつけ、私たちの脳内では決して像を結ばない新語を作り、読者が「レヴィナスの言いたいこと」を一意的に理解することをひたすら先送りさせる人だった。レヴィナスは私たちが「自分の手持ちの理解枠組み」に安住することを決して許さなかった。それは読者にとっては少なからずストレスフルな経験だったけれども、複雑な現実を複雑な言葉で記述しようとするその終わりなき努力は「問題を簡単にする人々」に親族の多くを殺された哲学者にとって最も緊急かつ最も人間的な営みだったのだと今は思う。

わかりにくい話に終始してしまって申し訳ない。でも、これが複雑なことについて書く仕方の一つの実例であると思って読者は諒とされたい。

（2022年7月15日）

政治的暴力の本質

『週刊金曜日』発行人植村隆さんの闘いを記録した西嶋真司監督のドキュメンタリー映画『標的』を観てきた。

「歴史戦」の活動家たちが植村さんに激しい攻撃を加え始めたのは2014年のことである。植村さんは中傷を浴びて任用が決まっていた関西の大学教授職を辞することを余儀なくされ、さらに非常勤先の北星学園大学も右派の攻撃にさらされた。学生に対する物理的な暴力行使までが予告されるに至った時点で、植村さんと北星学園を孤立させないために、多くの大学人が支援する会を結成した。私も呼びかけ人に加わった一人である。

その後、植村さんは逆風の中で裁判を闘い、ジャーナリストとしての筋目を通し、歴史修正主義との闘いの拠点を創り出した。立派な闘い方だったと思う。しかし、右派の攻撃に屈して結果的に植村さんを守り切れなかった新聞社と二つの大学はその社会的威信を深く傷つけられた。

映画を観て、この政治的暴力が何をめざしていたのかがわかった。植村さん個人を執拗に攻撃しながら、彼らはもっと大きな「標的」、この事件においては新聞と大学という社会における道徳的インテグリティと知性の拠点であるべき組織に対する国民的な信頼を毀損することをめざしていたのである。

1991年8月に朝日新聞に掲載された従軍慰安婦についての植村さんの記事は、名乗り出た金学順（キムハクスン）さんの語った言葉をそのまま伝えたストレートニュースだった。そこには特段の政治的主張は含まれていない。事実、植村さんの記事とほぼ同内容のものを当時日本のいくつものメディアが配信した。しかし、記事が出てから10年以上経って、第二次安倍政権下で「歴史戦」の号砲が鳴ると同時に、同じ内容の報道をしていた多くのジャーナリストたちの中から「捏造（ねつぞう）記者」として植村さんただ一人が標的に選び出され、憎しみを集中的に向けられた。

もし報道された内容についての真偽が問題なのならば、なされるべきは事実の検証である。けれども、攻撃者たちはファクトチェックには何の関心も示さなかった。裏づけ取材も反証もしなかった。事実はどうでもよかったのである。同様の記事を配信したメディアすべてを網羅的に攻撃しようともしなかった。標的は一人でよかったのである。一人の方がよかったのである。

「一罰百戒」という政治技術が有効なのは、標的の選択が恣意的だからである。犠牲者の選択に合理性がないということが重要なのだ。それによって「誰が、いつ、どんな目に遭うかわからない」という予見不能の恐怖が社会全体に浸透する。それでも、犠牲者は運の悪かった一人だけである。ならばさしあたりわが身は高い確率で安全である。そうやって恐怖と安堵を同時に与えるところに「一罰百戒」的暴力の本質は存する。

そして、犠牲者が属する組織に対しては執拗に「切り捨てて、孤立させろ」という圧力がかかる。「生贄（いけにえ）の山羊」一人を切り捨てれば組織の安全は保障するという、そこだけ奇妙に合理的な解が提示される。この時に、組織の上層部が不幸な一人を見捨てても組織を守るべきだという、計量的には合理的な選択をした時点で勝負は終わる。敗北するのは個人ではない。組織そのものである。その組織が掲げてきた「大義名分」が泥にまみれるのである。

植村さんは個人としてはみごとに戦ったと思う。だが、この戦いの政治的勝者は右派だということは認めなければならない。彼らはことの筋目を通し、理不尽な恫喝に屈しない勇気を持つ組織が今の日本社会では見出しがたくなっているという痛ましい事実を開示したからである。

（2022年2月23日）

教育関係者に伝えたいこと

ある媒体から白井聡さんとの対談『新しい戦前』（朝日新書）の自著紹介を頼まれ以下のようなことを書いた。

気鋭の政治学者白井聡さんとの対談本では、毎回、そのつどの時事的なトピックを論じているが、今回はウクライナ戦争、台湾有事、安倍政治の総括、人口減少、加速主義、LGBT、アイデンティティー・ポリティクス、学校教育などを論じた。

この本の中で最も言いたかったことは白井さんと私の共通の現状認識であるが、「日本はアメリカの属国であり、日本の統治システムのすべての歪みはその事実を日本国民が直視することを忌避していることから起きている」ということである。もう10年以上そのことばかり二人とも書いているのだが、なかなかこの認識が「日本の常識」には登録されない。それだけ抑圧が強いということだろう。

しかし、日本の喫緊の国家的課題は誰が何と言おうと、「国家主権の回復」と「国土の回復」である。日本はいまだに「半・独立国」であり、外国軍隊が半永久的に国土の一部を占領し続けている。日本国憲法の上位に日米安保条約があり、日本政府の上に在日米軍があり、日本の総理大臣の上にアメリカの大統領がいるというねじれた仕組み（アメリカにとってはごくナチュラルな「属国支配システム」だけれど）が80年近く続いている。

もちろん、長い時間をかけて作り込まれて、もはや日本人の国民性格に深く内面化した歪みだから一朝一夕に補正できるものではない。それでもその「病識」を持つところからしか治癒は始まらない。

ここから先は私が教育関係者に特に伝えたいことだ。１９９７年の中教審答申以降、学校教育に入り込んで来た「自分探しの旅」というアイディアがアメリカ発の「アイデンティティー・ポリティクス」というイデオロギーの余波だということである。

東アジアの伝統的な教育方法は「修行」である。「先達について、無限消失点であるような目標めざして、連続的な自己刷新を遂げること」である。これは「ほんとうの自分を探す」とはまったく方向違いの営みである。

アイデンティティー・ポリティクスでは「ほんとうの自分を見出せば、人間はその潜在的資質を劇的に開花させることができる。だから、ほんとうの自分に出会えることができたら、人生の目標のほとんどは達成される」という考え方である。そういう人間理解にもたしかに一理はあるが、広く一般性を要求できるものではない。少なくとも私が修行しているような武道の人間観とはまったくなじまない。

教育関係者には、この「自分探し」にかかわる白井さんとの対話と「LGBTと多様性」についての議論をとくに読んで欲しいと思う。思春期における性自認の揺らぎは子どもにとってごく自然なことであって、自分が「性的になにものであるか」を早く確定するように子どもを急かすということは子どもたちの性的成熟にとっては無益でありむしろ有害である。性自認や性指向はたぶんに社会構築的なものであって、家庭環境やメディアの影響によって変わる。だから、子どもたちに「性的なゆらぎ」を認める寛容な社会を整備することが子どもの成熟には不可欠である。

特に、教育者には以下を読んで欲しい。

「『学力』とは『学ぶ力』のことです。『生きる力』と同じです。数値的に計測できるものではないし、他人と比べるものでもない。乾いたスポンジが水を吸うように、触れるすべてのものから知的滋養を吸収できる能力のことです」


（2023年12月16日）

歴史的虚無主義を排す

ある媒体から「関東大震災と朝鮮人虐殺」についての特集を組むのでインタビューをしたいという依頼があった。私は近代史の専門家ではないので、この出来事については通り一遍の知識しかない。けれども、関東大震災朝鮮人犠牲者追悼式典に歴代都知事が送ってきた追悼文の送付を現職の小池百合子知事が拒絶していることは歴史に対する態度として間違っているということは申し上げた。

知事は追悼文を送らない理由を「何が明白な歴史的事実か確定していないから」としている。しかし、私たちがタイムマシンで過去に遡ることができない以上、「明白な歴史的事実」を確定することは権利上誰にもできない。

その場で現にそれを目撃したという人がいても、「話を作っているのではないか」「記憶違いではないか」「それとは違う証言が他にある」というような「反証」を突きつければ「明白な歴史的事実」の確定を妨げることは可能である。

日中戦争中の南京での市民虐殺について、1983年に旧陸軍将校の親睦団体偕行社が当時現地にいた軍人たちに機関誌『偕行』への体験手記の投稿を呼びかけたことがあった。虐殺への非難に反論して陸軍の名誉を守るための企画だった。ところが、集まった手記の多くは軍による虐殺の事実を証言するものだった。『偕行』は「弁解の余地がない」と率直に軍の非を認め、「旧日本軍の縁に繋がる者として、中国人民に深く詫びるしかない。まことに相すまぬ、むごいことであった」という謝罪の弁を記した。私はこの潔い態度には敬意を示す。

しかし、こうして、虐殺の事実を現認した旧軍人たちの証言があったにもかかわらず「南京虐殺はなかった」と主張する歴史修正主義者はその後も跡を絶たない。

そして、そのような「歴史修正主義的異論」がある限り、南京虐殺についても「さまざまな意見があり、明白な歴史的事実は確定していない」と言い張って謝罪を拒否することは可能なのである。

歴史に対するこのような態度を私は「歴史的虚無主義」と呼びたいと思う。

やや旧聞に属するが、トランプ大統領の就任式に際して、ホワイトハウスの報道官が「過去最多の人々が就任式に集まった」と語ったことがあった。これは事実に反すると報道番組で指摘をされた大統領顧問ケリーアン・コンウェイは「それはもう一つの事実だ」と言って報道官を擁護した。実際にはコンウェイはalternative factsと複数形を使っており、「もう一つ」どころではなかったのである。あらゆる事実にはそれを代替する別の事実があり得る。コンウェイはこの時そう宣言したのである。

これが現代世界に猖獗（しょうけつ）をきわめる歴史的虚無主義の起点標識をなす事件だったと私は思う。

たしかに、誰も「神の視点」に立って歴史を一望俯瞰することができない以上「明白な歴史的事実」を語れる人間は存在しない。それはその通りである。「私が見ているのは客観的事実だが、あなたが見ているのは主観的幻想だ」と退ける権利は誰にもない。

おのれの主観的バイアスを勘定に入れてものごとを見る抑制的な知的態度を私は高く評価するものである。しかし、そこから『明白な歴史的事実』を語る権利は誰にもない。

過去に何があったのかは誰にもわからない」というところまで虚無的になることには私は反対である。それは歴史を研究する行為そのものを否定することになるからである。歴史家が探求しているのは「明白な事実」ではない。「蓋然性の高い事実」である。「明白な事実」以外の過去についての言明はすべて私見に過ぎないと思っている人は歴史学も知性も否定しているのである。

（2023年8月24日）

武道的思考と資本主義

日本の伝統的な武道の最大の特徴は、武道の術技の向上と宗教的成熟との間には相関関係があるという仮説を採用していることだと思う。つまり、武道の技量が向上してゆくと、宗教的な深みを獲得する。逆に、宗教的な修行を積むと、武道の術技に上達する。この二つは一つの人間的成長の二つの現れである、と。そう信じられている。

スポーツの場合はそんなことは言われない。たしかに高度のパフォーマンスを達成できるアスリートは総じて自制心が強く、あまり感情的にならず、政治イデオロギーであれ信仰であれ、あまりのめり込むことがない傾向にあるのは事実である。それは当然である。というのは、それらの要素はすべて「対人関係のトラブル」を引き起こす要因になるからである。あちこちで人と喧嘩したり、批判したりされたり、恨んだり恨まれたりするリスクを適切に回避できるアスリートは、すぐに感情的になって人を怒鳴りつけたり、政治イデオロギーやカルトを宣布したりするアスリートよりは、高いパフォーマンスを発揮する確率が高い。

と言ってすぐに前言撤回してしまうのも申し訳ないが、そのような「市民的な抑制」が身体的パフォーマンスの発揮にとってプラスになるということは、スポーツの世界では必ずしも常識ではない。むしろ、天才的なアスリートの中には、市民的な常識を平気でふみにじるようなタイプの「型破り」の人がたくさんいる。

自分は例外的な存在なのだ。「ふつうじゃない」んだということを誇示することはアスリートだけでなく、俳優やミュージシャンにも見られる。「オレはただものではないよ」という印象を進んで広めることによって、「ただものではない自分」を創り上げてゆく。

デビュー直後のビートルズや、ソニー・リストンとの対戦前のカシアス・クレイのインタビュー映像を見ると、彼らが「オレたちは世間の常識なんかぜんぜん気にしないぜ」ということをアピールするために必死であることがわかる。もちろん、それが有効だと直感しているからそうするのである。「とんでもなく傲慢な態度」をとれば、失敗したときにめちゃくちゃに叩かれるに決まっている。だから絶対に失敗できない。そうやって自分を追い込んで、爆発的なパフォーマンスを達成する。その心理機制は理解できる。

　だから、スポーツにおいては、すべてのアスリートに「紳士たれ」とか「市民的に成熟しろ」とか「宗教的深みを求めろ」というようなことは、あまり推奨されることはない。もちろんアスリートの中にも、ディセントな人や、「成熟した大人」や、篤信の人はいる。でも、「そういう人だったからアスリートとして大成した」というふうに相関関係を見ることをふつうはしない。それは「犬が好き」だとか「料理が上手」とかと同じような個人的エピソードに過ぎない。

　武道はその点が違う。武道では、術技の向上と宗教的成熟がリンクしている。術技が高まれば武道家は必ず宗教的な深みを獲得する。宗教的な研鑽（けんさん）を重ねれば、術技においてめざましい進歩が見られる。そういう完全な相関関係が想定されている。これはたぶん世界でも日本の武道だけに見られる「民族史的偏り」と申し上げてよいかと思う（似た傾向がイスラームのスーフィズムにも見られるということをイスラーム研究者の山本直輝さんからうかがったことがある。でも、日本とトルコだけじゃ「世界標準」にはならない）。

日本の武道家であればおそらく誰でも知っている澤庵禅師の言葉がある。

「蓋し兵法者は勝負を争わず、強弱に拘らず、一歩を出でず、一歩を退かず、敵我を見ず、我敵を見ず、天地未分陰陽不到の処に徹して直ちに功を得べし」

現代語訳すれば「武道家は勝負を争わない。強弱を競わない。一歩前に出ることもないし、一歩後ろに退くこともない。敵は私を見ないし、私も敵を見ない。そうして、天地が未だ分かれず、陰陽の別もない境位において、ただちに果たすべきことを果たす」ということになる。

澤庵禅師は江戸時代初期の禅宗の僧侶で、柳生新陰流の宗家である柳生宗矩に武道の要諦を説いた『不動智神妙録』を与えた人である。この一文で始まる『太阿記』も剣客に向けて武道の神髄を説いたものである。澤庵自身は武道家ではない。禅僧である。だが、禅の奥義は剣の奥義と相通じるということについては、この時代には宗教家と武道家の間に完全な合意があった。

それは一言で言えば「去私」ということである。「勝敗を争う」「強弱を競う」「巧拙を論じる」といったことは、すべて私と向かい合う敵の間の相対的優劣を比較することである。日本の宗教と武道はこの「比較する心」をどうやって解除するか、ということを修行上の目標に掲げてきた。

奇妙な話だが、「勝とうと思うと敗ける」「強くなろうとすると弱くなる」「うまくやろうとすると下手になる」という逆説は、修行者にとっては共通の了解である。「自我」とか「主体」とか「アイデンティティー」とかいうものはどれも修行の妨げとなる。おのれを他と比較して「勝者」であるとか、「強者」であるとか、「巧者」であるとか見なすことは「我執」であり、それがある限り、修行の道は先に進めない。だから、「我」を振り捨てなければならない。

そもそも、「勝つ」というのは決してよいことではない。勝つとそれが「成功体験」になる。人は成功体験に「居着く」。そして、「成功したパターン」を繰り返そうとする。でも、それでは「連続的な自己刷新」は果たせない。勝ったことを喜ぶ人間は、そのときの自分を手離すことに強い心理的抵抗を感じるようになる。

だから、論争に勝つというのも少しもよいことではない。論争をして、論敵を完膚なきまでに論破したとする。その時はずいぶん爽快かも知れない。でも、後になって、自分の理屈が間違っていたとわかると、ひどく困ったことになる。すでに相手にさんざん屈辱感を与え、トラウマ的な傷を残してしまったのである。後になってから「すみませんでした。僕が間違ってました」と謝罪することは心理的にはきわめて困難である。だから、論争が好きな人、「論敵を打ち負かすこと」から快感を引き出した人は、「自分の理論に間違いがあったことに気づく機会」を無意識のうちに忌避するようになる。無意識のうちだから、どうしようもない。だが、自分の間違いにできるだけ早く（できれば他人に指摘されるより先に）気づいて、それを自力で補正することによってのみ知性は自己刷新を遂げることができる。自己刷新することを止めた知性はもう知性的であり続けることはできない。「論破する人」は勝利に居着いて、そのチャンスを自分で棄てているのである。

武道修行は、学術における「仮説の書き換え」と構造的には同じである。連続的な自己刷新を遂行すること。昨日までの自分とは違う自分になる、昨日までとは違う心と体の使い方をする、それが修行である。

だから、「一歩を出でず、一歩を退かず、敵我を見ず、我敵を見ず」という境地に至る必要があるのである。決して相対的な勝敗・強弱・巧拙・遅速・優劣を意に介してはならない。それが「天地未分陰陽不到の処」に立つということである。言葉は難しいけれども、「未だ記号的に分節されていない世界、未だなんらかの価値のシステムによって秩序づけられていない、アモルファスな星雲状態の境位」に立つということである。そのような境位に立つ人間は、自分が何をなすべきかを自得する。天地・陰陽という二極の間に、二極の力が拮抗する一種のNo man's landが生成される。そこに立てば、自分が何をすればいいのかは思量するまでもなく自明である。そういう境位がある。もちろん、私程度の修行者はそのような境地に立つことはできない。でも、それがめざすべき境位であるということはわかる。身体実感として、わかる。

「直ちに功を得べし」の「直ちに」という副詞が重要なのだ。「直ちに」というのは「間髪を容れず」ということである。「どうすればいいのか。どうすれば効果的にこの状況に対処できるのか」というようなことを考量した後に動き出したのでは「直ちに」という条件を満たすことができない。何らかの判断基準に照らしてから動くということがあってはならない。いかなる賢(さか)しらも、いかなる計算も、いかなる予測や反省もなしに、無心に対処するということでなければならない。

この「無心の境地」を武道は重く見る。武道的状況では、ふつうは敵が自分に向かって攻撃を加えてくるという設定がなされる。もちろん、ただぼんやりしていたら殺傷される。だから「何か」をしなければならない。だが、そのときに「敵を見て」、その攻撃について予測を立てて、それに「最適解」を以て応じるという仕組みで対処している限り、決して「直ちに功を得る」ことはできない。「攻撃に適切に対処する」ではなく、「ふと『あること』がしたくなる」というように、100パーセント自発的な所作でなければならない。

「サトリ」という民話がある。よく武道の極意の喩えとして引かれる話である。サトリは深山に住む獣で、人語を語り、人の心の中を読む。山中の小屋で樵(きこり)が暖をとっているとサトリがやってくる。「いま、嫌な奴が来たと思ったな」とか「早く帰れと思ったな」とか「面倒だから打ち殺してやろうと思ったな」とか、つぎつぎ樵の心中を言い当ててしまう。樵がサトリを追い払うのを諦めた時に、燃やしていた竹がはぜてサトリに当たり、驚いたサトリは逃げ帰ったという話である。

意のあるところは必ず咎められる。武道的にはそれを「隙」という。無文脈的で、まったく思いがけない時に、まったく思いがけないところで、思いがけない仕方で生成する動きを「隙のない動き」という。それには対処することができない。

JR東海の卓越した観光ポスターのコピーに「そうだ 京都、行こう。」というものがある。非常によくできたコピーである。採用されてから数十年経つのにまだ使われているから集客上きわめて効果的だったのだろう。この宣伝コピーの「そうだ」というのが「無文脈的」ということである。どこに旅に行こうかあれこれ考え、資料を取り寄せて、日程を決め、「では、最適解として、京都に行くことにしよう」ではない。街を歩いていて、あるいは食事中に、あるいは仕事の手をふと止めたときに、「そうだ、京都へ行こう」と思い立った。前段がない。いきなり生起する。

武道的な「無心」「無文脈」とはそのことである。不意にある動作がしたくなる。それが結果的には攻撃に対する最適の対応になっていた。結果的には、である。それをめざしたのではない。不意にその動作がしたくなっただけであって、「応じた」わけでもないし、「躱（かわ）した」わけでもない。だから、相手に遅れるということがない。

「応じる」というのは「後手に回る」ということである。相手からの攻撃という「問題」を出されたので「正解」で応じようとするスキームのことである。この場合は攻撃してくる相手が作問者で「私」は受験生であることになる。出題するのも、採点するのも、相手である。私はただ相手が出した問いについて必死で正解を考え、答案を差し出して、それに相手が何点をつけるのかを、じっと待つしかない。これを「後手に回る」という。「困難な状況に投じられたので、これを何とか切り抜ける」という発想をすることを「後手に回る」という。後手に回ったものは必ず敗ける。

　後手に回りたくないというので「先手を取ろう」とするのも、難問に適切に対処するというスキームに囚われている限り、すでに後手に回っている。問題は動きの先後・遅速ではないのである。「無心」というのは「そうだ、これをしよう」という自発だけがあって、達成すべき目的がない。何のために「そんなこと」をしたくなったのか、自分でもわからない。

　よく大記録を打ち立てたアスリートがインタビューに「これはただの通過点ですから」というコメントをすることがある。周りが「すごいすごい」と囃し立てるのをまったく気にしないで、気のないコメントをするのは、このアスリートが「成功体験に居着く」ことを怖れているからである。自分の達成を「成功だ」とみなし、競争相手に「勝った」と総括すると、そこで止まるリスクがあることを彼らは知っているのである。

修行とはその全活動が「ただの通過点」であるような営みである。入門したその日から、何十年稽古して息を引き取る日までつねに「これはただの通過点です」と言い切る構えのことを「修行」という。ただ道を歩むだけで、修行においては「この道の最終目標はどこか」「今、私は全行程のどの辺まで来たのか」「他の人たちと比べて、自分はどれくらい道をたくさん踏破したのか」というような問いは何の意味も持たない。修行中に、誰かに勝っても、誰かより強くなっても、誰かより巧みになっても、あるいは誰かに敗けても、誰かより弱くても、誰かより下手であっても、そんなことには何の意味もない。意味があると思うと、そこに居着いてしまう。決して居着いてはならない。それが武道の最もたいせつな教えである。決して「できた」とか「わかった」と思わないこと。おのれを「永遠の初心者」とみなして、ひたすら歩み続けること。

こういう精神的な態度が宗教と親和性が高いことはお分かり頂けると思う。宗教もまた「超越」と向き合うことで連続的な自己刷新を遂げようとする「行」である。いかなる宗教においても、信仰を持つ人は「私は神意を完全に理解した」とか「私は摂理のすべてがわかった」というようなことを口にしない。「神意は図りがたい」からである。だが、「神意は図りがたい」から「神意について考えるのは止めよう」と言う人はいない。修行者は自分が卑小な存在であることを恥じない。自分が未熟であると感じることをむしろ喜びとする。これから踏破すべき終わりなき道を望んで「終わりなき道」を歩む者であることを光栄と感じる。

このような修行者的なマインドが市場原理や競争原理と相性が悪いことはお分かり頂けると思う。「自社株の時価総額を最大化する」とか「競合他社にマーケットシェアで勝つ」とか「ライバルを蹴落とす」とか、そういう相対的な優劣に居着くふるまいが全部「ダメ」なのだから、合うはずがない。

資本主義というシステムはもう命脈が尽きかけている。今私たちは「資本主義が滅びるのが先か、人類が滅びるのが先か」というところまで追い詰められている。この状況において「資本主義の延命に加担する人間」というのは存在そのものが背理的である。

もうそろそろ人類は相対的な優劣を競い合い、格付けに基づいて資源を傾斜配分するという有害な仕組みを棄てる頃だと私は思う。まだ遅くない。

（2024年2月）

あとがき

みなさん、最後までお読みくださって、ありがとうございます。いかがでしたか。いろいろな媒体に寄稿したものですので、「話がかぶっているもの」が散見（どころじゃないけど）されます。組織マネジメントについての話とか、修行の話とか、何度も出て来たので「もう、それはわかったから、別の話をしてくれよ」と思った方もおいでになったと思います。それについてはお詫び申し上げます。こういうのは「二重投稿」と言って、学術の世界では「やってはいけないこと」とされているのですけれども、僕は別に研究発表をしているわけではなくて、とにかく道行く人の袖をとらえて、「お願いですから、僕の話を聴いてください」と懇請しているわけなので、同じ話の繰り返しになるのは当たり前と言えば当たり前なんです。話が変わるのは、同じ話ばかりしていると、自分で飽きちゃうからなんです。飽きなかったら、たぶんずっと同じ話をしているはずです。だって、「日本の国家主権を回復しよう」とか「市民的成熟を達成しよう」とかいう呼びかけは、「一回書いたからこれでおしまい」と言って終わりにするわけにはゆかないからです。

これからもたぶん同じような話を手を替え品を替えて繰り返すと思いますけれども、どうぞご海容ください。

内田樹

2024年3月

内田樹（うちだ・たつる）
一九五〇年生まれ。思想家、武道家、神戸女学院大学名誉教授、凱風館館長。著書に『ためらいの倫理学』（角川文庫）、『死と身体』（医学書院）、『街場のアメリカ論』（NTT出版）、『街場の中国論』（ミシマ社）、『日本辺境論』（新潮新書）、『街場の天皇論』（東洋経済新報社）、『レヴィナスの時間論』（新教出版社）、『コロナ後の世界』（文藝春秋）、『武道論』（河出書房新社）など多数。

凱風館日乗

二〇二四年五月二〇日　初版印刷
二〇二四年五月三〇日　初版発行

著者　内田樹
発行者　小野寺優
発行所　株式会社河出書房新社
〒一六二－八五四四　東京都新宿区東五軒町二－一三
電話　〇三－三四〇四－一二〇一（営業）
〇三－三四〇四－八六一一（編集）
https://www.kawade.co.jp/

組版　若菜啓
印刷　光栄印刷株式会社
製本　加藤製本株式会社

Printed in Japan ISBN978-4-309-23153-2